DOMAINE FRANÇAIS

À L'ORIGINE
NOTRE PÈRE OBSCUR

DU MÊME AUTEUR

ZONE CINGLÉE, Sarbacane, coll. "Exprim'", 2009.
L'AMPLEUR DU SACCAGE, Actes Sud, 2011.

KAOUTAR HARCHI

À l'origine
notre père obscur

roman

ACTES SUD

À la Mère et au Père, présents, absents.
À Sawab et Wissal, devenues si grandes.
À D., roi depuis la naissance.

Ils prendront leur tête entre leurs mains et, durant de longues minutes, ils demeureront silencieux. Pour certains, de peur. Pour d'autres, d'incompréhension. Leurs yeux voudront se fermer. Leur bouche s'ouvrir. Mais plus aucun corps ne sera capable de répondre aux ordres nerveux du cerveau car face à l'acte – cet acte de la séparation que la jeune femme réalisera sans le savoir ni même le vouloir – rien ne résiste qui ne soit d'abord appelé à disparaître. Oui, tout disparaîtra. Ou plutôt : par son acte – l'acte de la désaffiliation – elle fera tout disparaître et le monde tel qu'ils le connaissent, jamais plus, ne sera pareil. Le sang qui coule dans les veines des pères et des fils, le sang de la vengeance, le sang de la guerre, soudain, perdra toute valeur. Et ils auront beau, ce sang, vouloir le faire couler, couler et couler encore, un jour viendra où il ne coulera plus. Car, après l'acte de la jeune femme – cet acte de la rupture –, c'en sera fini de la famille, de son honneur et de sa violence. Ne leur restera plus que, débordant de leurs yeux, des larmes qu'ils apprendront à ne plus chasser. Des larmes qu'ils accueilleront comme l'indice d'une souffrance dont ils chercheront, pour la première fois de leur vie, le lieu. Puis, ce lieu, une fois trouvé, ils s'y rendront, allant ainsi à la rencontre de qui ils sont.

Mais ils ne voudront pas voir et quand ils verront, ils ne voudront pas croire. Ils demanderont alors à être convaincus que cette beauté et cette force sont bien les leurs ; eux à qui l'on dit, depuis l'enfance, qu'ils sont laids et faibles. Chacun le fera, ce travail sur soi, que la jeune femme aura rendu possible en affirmant par son acte – un acte de révolte – que le groupe ne mérite pas qu'on se sacrifie pour lui. Simplement qu'on le quitte et ils le quitteront, ne tolérant plus de n'être qu'une partie du tout. Ces hommes et ces femmes voudront être tout et se souvenant de l'acte de la jeune femme – l'acte de la libération – ils prendront leur tête entre leurs mains et durant de longues minutes, ils seront pris d'un terrible vertige. Ils sentiront grandir en eux le désir de faire un pas en avant, puis un autre, puis un autre, jusqu'à prendre leur élan et sauter dans le vide. Car, comme le leur dira la jeune femme, à cet instant précis où elle fera le choix de la vie contre celui de la mort, c'est un saut dans la foi que de s'aimer. Certains ne comprendront pas cette idée d'amour de. D'amour pour soi. Ils répliqueront qu'ils ne connaissent que l'amour de Dieu, le Tout-Puissant, le Miséricordieux. Et qu'ils ne sont pas Dieu. Mais qui n'est pas Dieu, leur apprendra la jeune femme, n'est pas moins que lui.

I

La Terre était déserte et vide et les ténè-bres à la surface de l'abîme.

Genèse, I, 2.

Une porte épaisse contre laquelle je me cogne.

Le soir, dans la petite cour intérieure de la maison, je suis debout, nue. Mes pieds trempent dans une bassine d'eau froide. Un vent léger souffle. Une main me serrant l'épaule, son autre main passant et repassant sur mon corps, la Mère me lave derrière les oreilles, sous les aisselles, entre les cuisses, et découvre, sur mes genoux, des ecchymoses. La Mère s'accroupit alors, me saisit par la taille, baisse la tête et embrasse les ecchymoses. Au contact de ses lèvres sur ma peau, je sens la douleur s'estomper. Disparaître. Je crois ça longtemps – jusqu'à mes cinq ans, mes six ans –, que les baisers guérissent.

Puis, à l'aide d'une petite serviette, la Mère sèche ma peau et me porte dans ses bras sur les quelques mètres qui nous séparent de la maison.

Nous traversons la salle commune et je sens peser sur nous les regards insistants des femmes assises à même le sol. Les femmes qui, à l'instant où nous nous apprêtons à emprunter le grand escalier pour rejoindre l'étage, lancent à la Mère : prête-la-nous, ta petite, pour une nuit seulement. Feignant de les ignorer, la Mère me serre contre elle, et d'un pas rapide nous regagnons la chambre sans fenêtre. Une fois chez nous – c'est ainsi que nous parlons de cette chambre –, la Mère pousse un profond soupir. Elle dénoue le foulard rouge qui, dans la journée, retient ses cheveux. Elle retire son tablier et laisse tomber, à terre, ses jupons de coton. La Mère ôte ses sandales de cuir et masse ses talons, ses chevilles avant de venir s'allonger à mes côtés, sur ce matelas neuf qu'un homme, il y a peu de temps, nous a apporté.

Mon visage est dans la chaleur des seins de la Mère. J'en oublie que j'ai faim. Je voudrais que la Mère me serre plus fortement contre elle pour oublier à quel point j'ai faim mais, ce soir, la Mère ne me prend pas dans ses bras.

À tout moment du jour comme de la nuit, vous savez, le chagrin l'envahit et la rend muette. Distante. Les femmes, parfois, remarquent les pupilles dilatées, la bouche entrouverte, le corps immobile. Elles saisissent alors la Mère par le bras et murmurent à son oreille : reprends-toi. Soudain la Mère se met à pleurer. Nous pleurons toutes.

Enfant, j'ignore le pourquoi du malheur. Je n'en connais que l'image.

C'est l'image de la grande porte de bois de l'entrée principale contre laquelle, de toutes ses forces, la Mère frappe parfois sa tête jusqu'à se blesser le front. Elle hurle : s'il vous plaît, je veux, je veux, s'il vous plaît, je veux rentrer chez moi, s'il vous plaît. Les femmes saisissent alors ses mains pour l'empêcher de se griffer le visage. La Mère crache sur les femmes. Les insulte. Les mord. Les provoque. Cherche à se battre avec elles. Et surgit fatalement cet instant où la Mère s'effondre sur le sol, à demi nue, les yeux fermés, comme morte. Durant un long moment, je reste agenouillée près de la Mère. Je guette le frémissement des paupières, le mouvement fébrile des doigts, le soulèvement difficile de la poitrine. Lorsque la Mère reprend peu à peu conscience, je caresse l'ovale de son visage et lui demande comment elle se sent. La Mère me regarde fixement, sans me répondre.

Aussi loin que je me souvienne, je vis dans le silence de la Mère.

Je porte des vêtements de toile. Les bras le long du corps, pieds nus, je fais les cent pas près de la grande porte de bois, m'asseyant, me relevant, donnant des coups de pied, fixant des yeux la poignée, la serrure en métal forgé, le verrou. Il faut me voir à sept ans, agressive et violente, refusant d'être approchée. Touchée. Une petite sauvage. Toujours à courir de la salle commune au grand escalier de pierre, sautant sur les paillasses, bousculant les femmes accroupies qui écossent les petits pois et les fèves, renversant les barriques d'eau, poussant des cris d'animaux mais l'espace est trop étroit, le plafond trop bas, pour ne pas me sentir prise au piège de cette maison que l'on m'autorise, quelques fois par semaine, à quitter.

Va prendre l'air, me lancent les femmes. Ça te calmera!

En toute hâte, je franchis la porte et disparais au détour de la première rue. En vérité, je ne vais jamais très loin, bien trop effrayée par cette ville immense dans laquelle je crains toujours de me perdre. Le cimetière est ma limite. Celle que j'oserai peut-être franchir, un jour. En attendant, assise le long du trottoir qui fait face au terrain vague où jouent les autres enfants, je m'imagine courir avec eux, me salir, tomber, me blesser, me relever. Recommencer. Et peut-être, alors, ne traînerait plus, dans ma tête, cette idée qu'il pourrait, à tout moment, arriver malheur à la

Mère. Les doigts traçant des cercles dans la terre, c'est pourtant encore à elle que je pense. Elle qui doit se sentir seule, abandonnée, me cherchant désespérément dans chaque chambre de la maison. En vain.

Et monte en moi un sentiment de culpabilité qui me pousse à rentrer au plus vite retrouver la Mère.

Une fois à la maison, je la découvre retranchée dans la salle d'eau, se caressant l'intérieur de la cuisse, un fil de fer à la main.

Où étais-tu?

Debout sur le pas de la porte, la peur me saisit. Empêche-la de se faire du mal, je me dis, ou sinon elle se mettra à crier et les femmes viendront la prendre et lui feront boire ces bouillons d'eau chaude dans lesquels ont trempé, des heures durant, les plantes du jardin, avec les racines et la terre. Et la Mère, vous savez, ne le supporterait pas, elle qui tombe malade du froid, de l'humidité. Elle au corps si fragile, elle qui est l'enfant.

Il y a ma main sur la sienne.

Je te demande pardon.

La Mère lâche le fil de fer. Doucement, je l'aide à se relever et la conduis jusqu'à la chambre sans fenêtre où nous demeurons ensemble, allongées sur le matelas, jusqu'à nous endormir.

Au matin, j'entends les semelles des chaussures des passants claquer contre le pavé des rues. La foule semble sourde aux appels désespérés des mendiants. Aveugle, aussi, à nous qui vivons à quelques mètres d'eux, derrière ces hauts murs de pierre. Souvent je me demande si les gens qui sortent de chez eux le matin et rentrent à la nuit tombée nous savent enfermées. La Mère aux bas reprisés, la Mère qui s'entaille les poignets, dit : bien sûr les gens savent. Les

La maison est grande. Deux étages, un sous-sol, une terrasse, cinq chambres, une grande salle commune, une cuisine, une salle d'eau, une petite cour intérieure, un jardin, et pourtant nous vivons les unes sur les autres.

La Mère et moi, souvent, essayons de nous détacher du groupe. De mener notre vie loin des femmes mais nous finissons toujours par entendre le tapotement régulier de leurs claquettes contre le sol, le raclement de leur gorge, par sentir cette odeur d'oignons frits qui se dégage d'elles, par apercevoir sur les murs leurs ombres qui s'étirent. Elles arrivent, rassasiées – mais combien sont-elles ? six, sept ? –, manches retroussées, cherchant celles qui ont quitté la table avant la fin du repas.

Vous n'aimez pas ce que nous avons préparé à manger ?

Ni la Mère ni moi ne répondons. Assises sur une marche du grand escalier central, nous continuons à fredonner un air de musique, le corps se balançant de gauche à droite, comme si de rien n'était. Mais les femmes insistent.

Vous n'aimez pas ce que nous avons préparé à manger ?

D'un coup, je me lève. Saisis la main d'une des femmes, la pose sur mon ventre puis inspire profondément. Vous voyez, il est plein, je lance. Touchez le ventre de la Mère, allez-y, vous verrez que son ventre aussi est plein. Et les femmes, les unes après les autres, du bout des doigts, effleurent le ventre de la Mère. Debout, sur le côté, je les observe faire. Ça dure des minutes. Les femmes se serrent de plus en plus fortement autour de la Mère. Elles caressent le visage de la Mère. Lui disent : avec nous, tout ira bien. La Mère est parmi les femmes, dans leur chaleur étouffante et, à son tour, elle les prend contre elle, dans ses bras. La Mère enlace les femmes, leur parle d'une voix si douce que je me demande si c'est bien elle que j'entends. Peu à peu, je finis par ne plus distinguer le corps de la Mère du corps des femmes. Et monte, en moi, la tristesse d'être soudain privée de la Mère.

Le temps passe peu à peu.

Les femmes se réunissent au centre de la salle commune et, assises en tailleur sur un sol dur et froid dont elles ne tarderont pas à se plaindre, se levant chacune leur tour pour chercher une couverture dans la grande armoire du premier étage, elles évoquent, tête baissée, cet instant où tout a basculé.

Appuyée contre le chambranle, des bribes de mots me parviennent.

Regards.

Épousailles.

Belle-famille.

Rumeur.

Et soudain les bouches se scellent. Les dos se courbent. L'atmosphère devient pesante et j'ai le cœur qui. Mon cœur se met à battre de plus en plus rapidement.

II

L'Éternel Dieu forma une femme de la côte qu'il avait prise de l'homme, et il l'amena vers l'homme.

Genèse, II, 22.

À tâtons, je pénètre dans la salle commune et m'approche des femmes éplorées. J'entends les souffles haletants. Vois les yeux qui gonflent, les mains qui tremblent, qui s'agrippent au tissu de la robe et vois, encore, les ongles qui grattent entre les dalles, les ongles qui égratignent la peau. Qui griffent.

Les poignets. Les chevilles.

L'apparition des premières rougeurs ne calme pas les femmes. Seul le sang les fera revenir à elles-mêmes et reprendre le récit abandonné au milieu d'une phrase. D'un pas mesuré, je continue à faire le tour de ce cercle étrange que la Mère et les femmes forment à n'importe quel moment du jour, parfois plusieurs fois par jour, pour *échanger* mais ce n'est pas un échange.

Je dirais : une fusion.

Quand le souvenir les assaille de toute part, en quelques instants seulement, elles se réunissent et, main dans la main, hantées par ce qu'elles ont vécu dans d'autres vies, dans d'autres maisons, dans d'autres villes, la Mère et les femmes travaillent ensemble à se débarrasser d'images, de bruits qui, disent-elles, les poursuivent jusque dans leurs rêves. Les femmes, incroyablement soudées les unes aux autres, portent toutes ce même masque de l'hébétude, récitent des prières d'une voix que l'on croirait sortie d'une unique gorge, se fixent du regard comme si chacune en l'autre se retrouvait, oui, ces femmes à quelques mètres de moi, d'un coup, deviennent une seule et même personne.

Une entité.

Et accroupie dans un coin de la salle commune, ne pouvant détacher mes yeux des yeux de la Mère qui ne me voit plus, je scrute le moindre de ses gestes, de ses mains qui applaudissent à ses jambes qui se déplient, dans l'espoir de pouvoir faire la part des choses. Comprendre ce qui de cette femme si faible à la peau si claire, la tête enserrée d'un foulard vert, demeure de la Mère.

Car, quand ce n'est pas le chagrin, ce sont les femmes qui me privent d'elle.

Très tôt, je suis placée dans cette situation de la confiscation. À mes doigts manquent le front bombé de la Mère, l'arrondi de ses seins, de ses hanches, l'épaisseur de ses cuisses, la finesse de ses mollets. Quand elle passe près de moi, dans le long couloir, que nous nous croisons dans la cuisine, ou qu'elle entre dans la chambre sans fenêtre pour s'allonger sur le matelas, parfois je fais ça, je tends le bras pour l'atteindre, la sentir, la posséder à nouveau mais elle et moi, vous savez, sommes désormais deux corps distincts.

Il y a l'errance.

De longs après-midi à ne pas savoir où aller. À hésiter entre la salle d'eau et le jardin grillagé. Je vais et viens, traversant les pièces à pas mesurés, me cognant parfois contre les chaises, les tables, laissant volontairement le désordre derrière moi. Une manière de marquer le territoire. De provoquer les femmes, aussi, qui se mettront à ranger, à passer un coup de chiffon sur les plinthes des murs, à laver le sol, avec empressement, avec nervosité, jusqu'à ce que les traces de mon passage disparaissent et qu'elles se sentent à nouveau en sécurité. À la fin, les femmes, au bord de l'épuisement, diront : voilà, s'*ils* viennent nous rendre visite, tout est prêt.

Du haut de la terrasse de la maison, la terrasse au centre de laquelle j'ai déposé une serviette et rempli d'eau fraîche une bassine de plastique, je joue à faire prendre un bain à ma poupée tandis que les femmes, regroupées au premier étage, dans la chambre de l'une d'entre elles, continuent à parler d'eux. C'est un flot de bavardages ininterrompus, bruyants, répétitifs. Ça bourdonne dans ma tête, ça refuse de se taire, ça piaille de telle sorte que survient toujours un instant où je finis par renverser la bassine de plastique, jeter la poupée contre le mur, pousser des cris de petite chienne, et me faire cette promesse, un jour, de partir.

En attendant, le soleil frappe. A déjà fait s'évaporer l'eau. Réchauffe maintenant le dallage. Doucement, je retire mon T-shirt puis baisse mon pantalon avant de m'allonger sur le dos. Le sol dur rend les os douloureux, et la peau devient brûlante, à la limite du supportable. Je résiste quelques secondes et me relève, d'un coup, pour m'abriter à l'ombre, sous le grand parasol.

Sans tarder, je dévale alors les escaliers.

Je suis devant la porte de la chambre des femmes, n'osant pas entrer, collant mon oreille à la porte, les entendant dire : bientôt, oui, bientôt, ils viendront nous chercher. Je me sais ne pas faire partie de ce "nous". Car moi, quand elles s'en iront toutes d'ici, dans un mois, dans un an, dans deux ans – qui sait en vérité ? –, je serai encore prisonnière de cette maison.

L'enfermement dure depuis si longtemps déjà.

J'inspire, expire profondément, saisis la poignée métallique et ouvre la porte. Désormais sur leur territoire, je me sens en danger. Les voilà déjà qui se lèvent, me saisissent par la main, me caressent les cheveux, m'embrassent sur la joue, lancent à la Mère : qu'elle est belle, ta petite, qu'elle est douce. Je me débats, recule et leur montre mon dos. Les femmes poussent un oh de stupéfaction tandis que je me rapproche de la Mère qui m'examine, touche la peau rougie du bout de ses doigts.

À travers ce geste délicat, je crois retrouver la Mère et suis convaincue qu'il nous est enfin possible de reformer ce couple que nous avons été, pendant une brève période, à l'époque où elle craignait la nuit, les bruits de pas dans le couloir, les cris de corbeaux, les araignées, quand elle me demandait d'allumer, pour elle, le four à pain, qu'il me fallait demeurer près d'elle quand elle prenait sa douche, quand elle se coiffait, quand elle priait, les coudes posés sur le rebord du lit. Parfois même, elle disait : je voudrais que tu pries pour moi. Et j'aimais savoir la Mère ne rien pouvoir faire sans moi et moi ne rien pouvoir faire sans elle. Nous étions, l'une pour l'autre, ce centre de gravité. Partout autour, le néant.

Pourtant, je ne tarde pas à faire l'expérience de la chute à l'instant même où je vois la Mère se lever, quitter la chambre et revenir avec une serviette propre qu'elle me tend.

Maintenant, va te laver dans la cour intérieure.

Très rapidement, la Mère se réinstalle parmi les femmes. Et demande : et moi, alors, quand viendra-t-il me chercher ?

III

Ton désir te poussera vers ton homme et lui te dominera.

Genèse, iii, 16.

(Carnet intime d'une des femmes découvert dans un tiroir :)

"À vomir, je retrouve toujours la même sensation putride, ces relents d'anciens repas, cette acidité dans ma bouche. C'est ainsi à chaque fois que je crois entendre la voix de M. parmi les bruits qui nous viennent de la ville. Mais se pourrait-il qu'un jour ce soit véritablement sa voix qui me parvienne et non celle d'un passant ? Se pourrait-il que ce même jour, grâce à M., je recouvre enfin la liberté ?

Demain, cela fera exactement un an qu'il m'a fait interner, ici, où personne pourtant ne me soigne. Et me soigner de quoi, moi qui ne souffre d'aucune tare, d'aucune maladie, pas la moindre douleur qui fasse vaciller mon corps ou affaiblisse mon cœur. Rien que l'on puisse vouloir m'ôter puisque le mal est en eux, dans leurs esprits pervers.

Quand je ferme les yeux, je revois la mère de M. pénétrer dans notre chambre à coucher, un beau matin, hurlant que je ne suis qu'une sale menteuse, exigeant que je leur rende immédiatement tous les bijoux qui m'ont été offerts le soir de mon mariage. Je supplie M. de bien vouloir croire que je n'ai jamais

29

passé de nuits avec un autre homme que lui mais ce dernier ne veut rien entendre, il se sent sali et se range du côté de sa famille. À la sortie de ce cauchemar, je suis toujours en sueur, hagarde, haletante.

J'ai si honte de déranger mes sœurs dans leur sommeil, nuit après nuit, pourtant c'est ainsi que nous vivons. Dans le mutisme des unes, dans les cris des autres.

À l'aube, j'ai encore vomi. Je ne sais plus comment faire pour garder ce que j'ingurgite. Mes sœurs ont certainement remarqué le temps que je passe, seule, dans la salle d'eau, et doivent se douter que quelque chose ne va pas. Comment pourrais-je leur dire qu'il m'arrive parfois de perdre espoir ? Peut-être que, comme d'autres, je mourrai dans cette maison, sans avoir eu d'enfant. N'est-ce pas la plus haute des injustices que l'on puisse faire subir à une femme ? La punir pour l'impureté de son corps puis le priver de la vie qu'il aspire à porter ?

Je regarde souvent la petite en imaginant que je suis sa mère. Il m'arrive de vouloir la manger."

Malaise profond. Mains moites. Incompréhension. Je ne souhaite pas en lire davantage. Je referme alors le carnet, le remets à sa place puis tire derrière moi la porte de la chambre.

J'ignore qui sont ces sœurs dont parle la femme. Dans cette maison ne vivent que des louves se déplaçant en meute, blessées mais vivantes, dont les hurlements s'intensifient à la nuit tombée, quand il est temps pour chacune de rejoindre sa tanière mais que la force de se mouvoir vient à lui manquer. Les observant par la porte entrouverte de la cuisine où j'avale les restes froids du repas de la veille,

30

les femmes regroupées dans la salle commune s'allongent à terre ; certaines d'entre elles se couchent sur notre ancien matelas, à la Mère et moi.

À une certaine époque, j'aurais été vexée de voir ce qui n'appartenait qu'à nous – c'était le cadeau inattendu du Père – du jour au lendemain utilisé par d'autres. Maintenant, je tente de passer outre ces expériences de la dépossession. Je baisse le regard, mâche la nourriture, me ressers une seconde portion de lentilles et ne peux pourtant m'empêcher de me répéter : la Mère, la Mère tu l'as perdue.

Gorge nouée. Suffocation. Vertiges. Nausées. Envie brutale de fuir cette maison singulière, aux frontières de l'irréel, cette maison dont les femmes disent qu'elle est le vestige d'un temps ancien, archaïque, une maison de pierres aux chambres carrées, à peine meublées – un lit, une chaise, une tablette –, une maison sans la moindre trace de couleur où règne le silence des cimetières, l'obscurité des forêts, une maison entourée d'un terrain vague, construite à l'écart de la ville par des hommes aidés de femmes dans le but d'isoler d'autres femmes, la maison des délits du corps où l'on ne châtie ni ne violente, où on rééduque, jour après jour, au risque d'y passer des années, par la seule force de l'enfermement.

Il faudrait dire : *de l'emmurement.*

Aucun gardien, ici, ne surveille les femmes. Elles vivent sous le poids des règles familiales inculquées depuis l'enfance et sont devenues leurs propres sentinelles. Vous savez, jamais aucune n'osera ramasser ses affaires, pousser la grande porte et partir. Toutes attendent, même s'il arrive à certaines de le nier, le retour de l'époux qui lèvera la sentence et les autorisera à se diriger vers la sortie. Pourtant, il n'existe pas de codes ou de lois officielles, pas de tribunaux, de procès, de juges, d'avocats, de traces écrites. Tout n'est question que de gestes, de regards, de paroles.

De traditions.

Domestiquées, les femmes se taisent brusquement à chaque passage de l'autobus, parlent continuellement à voix basse, craignent la lumière du jour, accrochent au cadran des fenêtres d'épais morceaux de tissu noir. Les femmes n'osent pas se regarder dans le miroir, s'enfouissent sous des couches de vêtements, ne se lavent jamais en se mettant totalement nues. Elles prononcent mécaniquement des formules magiques, rajustent constamment leurs voiles, épluchent, la journée durant, les légumes que des hommes leur déposent discrètement au petit matin. Elles pilent des herbes dans une coupe de terre cuite, mangent accroupies autour d'une table basse, lavent la vaisselle à tour de rôle. Les femmes se racontent des souvenirs d'enfance, s'échangent des bijoux, des pantalons en coton, des claquettes en caoutchouc, elles se soignent les unes les autres, se protègent, se jalousent aussi, se dénigrent, s'insultent, se battent entre elles. Les femmes, toujours, souffrent. Et font du mal.

Ce matin, à peine réveillée, je revêts ma tunique, attache mes cheveux en chignon et monte sur la terrasse observer, de loin, les petits vendeurs à la sauvette – ce sont des garçons de mon âge – prendre possession de la place centrale de la ville. Assise à terre, jambes écartées, pieds nus, une femme occupe ma place habituelle, près du parasol. Elle tient, serré dans sa paume, un petit briquet rouge qu'elle positionne à quelques centimètres de l'intérieur de sa cuisse jusqu'à se brûler. Figée en haut du grand escalier, la bouche asséchée, je vois la flamme d'un bleu orangé, apparaître et disparaître. Une très légère fumée blanche se dégage, tandis que la femme contracte de plus en plus fortement la mâchoire.

Elle m'aperçoit. Baisse instantanément les yeux et poursuit son rituel.

Ce n'est pas la première fois que je la surprends dans une telle posture. Jamais elle ne gémit ni ne pousse le moindre cri de douleur. Tout est *intérieur*. Seules les dizaines de cicatrices dispersées sur tout le corps, visibles quand elle se déshabille, laissent deviner la folie qui l'habite. Quand il m'arrive de la croiser dans la cuisine, que les autres femmes ne peuvent ni nous voir ni nous entendre, je pense à m'approcher d'elle.

Et à lui dire : arrête ce jeu dangereux.

Mais à sa manière de tirer continuellement sur ses manches, de remonter son pantalon, de baisser son fichu jusqu'à la ligne des sourcils, je la devine soucieuse de cacher le moindre centimètre carré de peau. Sa gêne est immense et je crains d'autant plus de la bousculer. Alors, je ne dis rien et rejoins la grande salle commune.

En matinée, les femmes vaquent à leurs occupations. Parfois, ça les prend, elles disent : aujourd'hui il faut tout rafraîchir. Sur le sol, elles déversent des litres d'eau savonneuse et, à quatre pattes, dispersées dans la maison, se mettent à frotter de toutes leurs forces des taches qu'elles sont les seules à remarquer. À chacun de leurs mouvements, de leurs regards, à chacune de leurs plaintes, au moindre écho de leur voix, à leur passage dans le couloir, un profond sentiment de mépris m'emplit. J'exècre leur pâleur, leurs yeux cernés, leur maigreur, je hais cette odeur de Javel qui leur colle à la peau, cette mouillure échappée de leur corps, cette impression de suintement, mais plus que tout, plus que leurs mines défaites, que leurs allures débraillées, j'abomine cet état de servilité dans lequel elles tombent dès lors qu'elles entendent quelqu'un frapper contre le carreau de la petite fenêtre de la cuisine.

À cet instant précis, chacune des femmes est alors prise d'un profond sentiment d'excitation, de panique aussi et cette terreur qui, d'un coup, fige son visage quand lui vient à l'esprit que, peut-être, cet homme qui s'apprête à faire son entrée dans la maison ne vient pas pour elle mais pour une autre. Et je les vois, ces femmes, continuer à croire qu'elles seront, bientôt, l'élue ; celle à qui l'époux rendra visite, apportant avec lui, dans un sac de toile, un peu de viande, des fruits, des légumes, du café, une robe, une paire de sandales, un peigne, des rasoirs, des serviettes de bain, un flacon de parfum, des médicaments.

Et chaque fois qu'un homme se courbe, pousse la porte basse, et pénètre dans la maison, toutes, réunies à l'écart de la cuisine, immobiles au pied du grand escalier, serrées les unes contre les autres, bras croisés, osant à peine demander qui est là, retiennent leur souffle dans l'espoir d'être appelées.

Et quand l'homme prononce à haute voix le prénom de sa femme, celle-ci se précipite pour saisir, accrochée au mur de la grande salle commune, une clé – la clé sacrée – et se rend, en toute hâte, euphorique et chancelante, s'agrippant à la rambarde métallique du petit escalier tournant, dans l'unique chambre du sous-sol. C'est une chambre humide où il fait souvent froid. Plus sombre encore que les autres pièces, elle dispose néanmoins d'une ampoule colorée suspendue au plafond, d'un très grand lit sur lequel sont déposés une épaisse couverture marron, plusieurs draps blancs, un édredon, deux coussins. Et, à droite de la chambre, un lavabo faïencé ainsi qu'un petit espace de douche que dissimule un paravent de bois clair.

Je patiente toujours une dizaine de minutes avant de prendre, à mon tour, et en toute discrétion, le chemin de la chambre du sous-sol. Sur la pointe des pieds, marche après marche, je me rapproche de ce lieu hors de l'espace, hors du temps et, adossée au mur, les genoux remontés contre la poitrine, à quelques centimètres seulement de la porte, j'écoute.

Lui, parle beaucoup. Elle, très peu. Et quand elle prend enfin la parole, le ton de sa voix laisse deviner une forme de résignation comme si elle venait de comprendre que malgré les suppliques et les promesses, le jour de sa libération est encore loin. Et je l'entends, parvenant à peine à formuler une phrase complète, répéter que son refus initial de devenir mère n'était dû qu'à la peur de faire, au jeune âge qu'était le sien, l'expérience de la grossesse.

Mais désormais, je me sens prête à te donner un fils.

L'époux rétorque qu'il est trop tard. L'honneur de sa famille a été entaché et lui permettre de sortir, au bout d'une année seulement, serait aller contre le bien de tous.

Mourir. Mourir.

La femme désormais crie qu'elle préférerait mourir plutôt que d'être enfermée plus longtemps dans cette maison. Je l'entends se débattre, saisir des objets et les jeter à terre. Par le trou de la serrure, je la distingue qui s'agite tandis que l'époux est assis sur le rebord du lit, visage fermé. Et soudain il se lève, saisit sa femme par les épaules et la serre contre lui. Ses doigts caressent ses cheveux, sa nuque, il embrasse son visage, ses lèvres.

La femme laisse faire.

Les gémissements de l'homme sont de plus en plus intenses. La femme, elle, semble être retombée dans le silence – on peut disparaître dans le silence. Gênée, je me dépêche de monter les escaliers pour rejoindre la grande terrasse et respirer.

IV

Et l'homme n'a point été créé pour la femme mais la femme pour l'homme.

Première épître
aux Corinthiens, XI, 9.

Combien de femmes, la Mère et moi, avons-nous vues conduites ici par un époux, par un frère, par un beau-frère, par un fils puis, quelques années plus tard, être autorisées à rentrer chez elles ?

Souvent je demande : pourquoi les autres femmes ? Pourquoi pas toi ?

La Mère, les mains plongées dans l'eau trouble de la vaisselle, tourne alors les yeux vers moi, s'attarde longuement sur mon visage, détaille du regard le nez, les lèvres, le cou. La naissance des seins, le corps sous la longue chemise de lin blanc et dit : tu as beaucoup grandi.

Temps suspendu.

Si vous saviez, à cet instant précis, tandis que je suis debout entre la longue table et l'évier, pieds nus, les mains dans le dos, l'intensité de l'émotion qui m'envahit. L'émotion qui fait se dresser les poils de mes avant-bras, noue ma gorge, me laisse sans mot, sans voix qui pourrait dire ces mots. Quels mots, d'ailleurs, pourraient être à la hauteur des mots de la Mère, d'ordinaire si rares, et traduire la perte d'équilibre, la compression des tempes, l'accélération du flux et du reflux du sang dans mes veines, cet inéluctable embrasement du cœur ?

Incapable du moindre geste, longtemps, je contemple la Mère. Je suis dans sa chaleur, dans sa lumière et ressens, qui pénètre chacun de mes pores, la force de la femme qu'elle est. Il y a sa beauté, aussi. La beauté du teint diaphane, des joues creusées, de la bouche très fine. Sa beauté émouvante malgré les vieux vêtements, la sueur, les cheveux décoiffés, malgré les insomnies, les pleurs du matin, le désespoir. Je voudrais consoler ce qui en elle souffre, je voudrais la prendre par la main. Marcher, à l'abri du regard des femmes, vers la grande porte de bois. Saisir la poignée. Ouvrir cette porte. Et partir.

D'une voix à peine audible, me rapprochant alors de la Mère, je dis : viens avec moi.

Elle a brusquement reculé. Ses traits se sont durcis. Ses poings se sont fermés. Elle a lancé un regard furtif en direction des femmes regroupées dans la salle commune – les femmes qui nettoient les tourne-broches de la cheminée – puis m'a fixée et rétorqué : mais pour aller où ?

Encore une fois, les mots me manquent pour décrire à la Mère ce que j'aperçois du haut de la grande terrasse, à chaque lever du jour. Le dédale des rues, l'immensité des parcs, la profondeur des impasses, la densité de la foule. Cette foule dans laquelle, à de si nombreuses reprises, je nous ai imaginées, la Mère et moi, nous fondre et disparaître.

Tu sais, je poursuis, il suffirait d'un pas.

La Mère a hoché la tête, soupiré, fait un quart de tour sur elle-même, saisi l'éponge, le produit vaisselle, ouvert le robinet, laissé couler l'eau qui bientôt déborde l'évier puis, à nouveau, y a plongé ses mains. Durant quelques minutes, je me suis demandé si la Mère m'entendait, si la Mère me comprenait, si la Mère, réellement, souhaitait quitter cette maison.

Soudainement, ce doute : et si j'étais la seule.

Durant plusieurs jours, je garde, enfoui en moi, un vaste sentiment de colère vis-à-vis d'elle que je ne cherche désormais plus à convaincre de la nécessité de fuir car il y a en la Mère, comme en chacune des femmes qui vit ici, une forme de complaisance à être enfermée, à être punie sans réelle raison, dans leur chair, dans leur âme, à être humiliée de la sorte – cette farine, ce sucre, cette levure, ce sel, qu'elles mendient, à chaque visite de leurs époux respectifs – comme s'il était un certain endroit où souffrir procure un certain plaisir. Et il faudrait pouvoir nommer ce lieu où se développe cette accoutumance au chagrin. Bien pire, cette dépendance au mal qu'infligent les hommes, en toute circonstance, et auquel, pourtant, ces femmes pourraient mettre fin, en le décidant.

Toutes sont là qui vaquent maintenant à des occupations ménagères diverses, allant et venant avec lenteur entre la grande salle commune et la cour intérieure où sèche le linge, et tandis que je quitte la Mère pour rejoindre la chambre sans fenêtre, je m'arrête un instant, la main posée sur la rampe de l'escalier et devine, sous leur masque de victime, le véritable visage des femmes. Ce visage de la complicité, de la connivence et de la confusion, aussi, puisque ces femmes sont, à cette époque, mes bourreaux. Celles qui, vous savez, maintiennent vivante la tradition avec un tel engagement, une telle fougue, qu'on les croirait être des hommes.

En refermant la porte de la chambre derrière moi, je m'allonge sur le plaid qui recouvrait, jadis, le matelas, et peine à trouver le sommeil. Je me relève alors et, m'asseyant en tailleur, les doigts plongés dans mes cheveux pour en défaire les nœuds, j'entends les pas des femmes dans le couloir, le glissement de leurs doigts sur les murs, et sens, à chacun de leurs rires, l'espace rétrécir, l'air devenir rare, mon cœur se serrer, et la colère enfler dans ma poitrine. Naissent dans mon esprit, foisonnantes et dévorantes, des idées de vengeance.

Mais une fois près des femmes, quand je verrai leurs seins pendre sous les longs chemisiers de coton – ces seins qui me rappelleront les seins de la Mère –, serai-je seulement encore tentée d'avoir à leur égard la moindre parole, le moindre geste de violence ? Ne voudrais-je pas plutôt me rapprocher d'elles davantage dans l'espoir de pouvoir me blottir entre leurs bras et, là, retrouver d'anciennes odeurs – l'odeur des cheveux de la Mère –, éprouver d'anciennes sensations – la sensation de la peau de la Mère – et, au fond, résisterai-je au désir de me nourrir d'un amour dont, trop tôt, j'ai été sevrée ? Pourrais-je me défaire de cette illusion, aussi, qu'après avoir quitté le paradis, il demeure possible d'y retourner ? Toute la soirée, je ne cesserai de ressentir chaque sentiment et son contraire car je continue d'attendre – il faudrait dire : d'espérer.

L'accueil de qui je suis.

D'une longueur infinie, la nuit ne me procurera aucun repos, ne me délestera d'aucun poids. Bien au contraire elle renforcera ma lucidité et je verrai, comme jamais auparavant il ne m'a été donné de voir, à quel point ma présence, ici, est pourtant ignorée, mes besoins insatisfaits, mes demandes laissées sans réponse, à quel point, aussi, dans cette maison, tout n'est que conflit, lutte et défaite, à quel point, surtout, les femmes, du matin au soir, me manipulent, me font croire que, peut-être, avec un peu de chance, si je suis gentille, elles prendront le temps de me coiffer, de me maquiller, de m'habiller, mais, au final, combien de désillusions, combien de déceptions, combien de trahisons?

Ce que la Mère quant à elle me dit, à longueur de journée. Que je possède, entre les mains, le pouvoir de la sauver. Parfois, elle m'étreint, me couvre de baisers, me répète, ses lèvres contre mon oreille, que je suis sa petite idole. Qu'à moi vont chacune de ses prières, chacun de ses remerciements. Et les après-midi où, allongée sur le matelas, dans la grande salle commune, elle peine à s'endormir, troublée par le souvenir d'un jeune garçon qui la pourchasse dans la rue, oui, c'est moi que la Mère appelle à son chevet. Il y a ma main sur sa main. Des larmes sur ses joues. Cette peur dans ses yeux. Et je demande à la Mère ce qui l'effraie ainsi. Elle ne prononce pas un mot. Simplement, elle serre davantage ma main dans la sienne. Sa tête reposant sur mes genoux, je continue, avec délicatesse, à caresser son visage, son cou, ses bras. Je lui parle du temps qu'il fait dehors. Ensoleillé, je répète, ensoleillé, malgré l'écoulement de l'eau de pluie le long des gouttières métalliques, malgré l'absence de lumière extérieure, malgré le froid dans la maison.

Et sans faire de bruit, je me lève alors allumer quelques bougies que je dispose sur le guéridon, toujours avec cette crainte que l'odeur de la cire fondue ne la dérange dans son repos.

Je me suis rassise près de la Mère, j'ai remonté le drap jusqu'à sa gorge et j'ai embrassé son front. Il ne faut jamais que quelques secondes avant que la Mère se mette à gémir, à se plaindre de violentes douleurs au bas du dos. D'insupportables migraines.

En toute hâte, je me rends à la cuisine et cherche, dans les armoires, dans les tiroirs, dans les sacs rassemblés au pied du four à pain, dans les pots de terre, dans les bols de soupe, dans les casseroles, aussi, ces médicaments que le Père, un jour, lui a apportés. Quand je les trouve enfin, je m'en saisis et les écrase sur le rebord de la table à l'aide d'une petite cuillère de bois puis verse la poudre qui en résulte dans un grand verre d'eau. Tenant entre les mains un plateau – le plateau préféré de la Mère ; celui-là même que lui aurait offert sa propre mère, le soir de son mariage – je me dirige vers la salle commune et la vois, à quelques mètres de là, qui m'attend patiemment, adossée au mur, un peu somnolente, avec sa tunique trop grande, son châle râpé sur ses minces épaules, des mèches de cheveux tombant sur ses yeux rougis.

Cette fragilité qui émane d'elle, ces sanglots qu'elle ne s'attache plus à étouffer, ces reniflements, cette lourde respiration, ce regard dans le vide, cette habitude du malheur, tout, en la Mère, me bouleverse. Me laisse privée de force dans les bras, dans les jambes, privée de vie, quand le peu de vie qui demeure en moi, à ces instants où je m'apprête à la rejoindre – à la secourir – je voudrais pouvoir l'extraire de mon corps pour le lui offrir.

Pas à pas, je me suis approchée d'elle et lui ai tendu le grand verre d'eau qu'elle peine, de ses mains moites, à saisir, que je porte alors jusqu'à sa bouche, en répétant : doucement, doucement. La Mère n'aime pas ce goût amer qu'ont les médicaments mais j'insiste.

Je dis : il faut tout boire. Et docilement, l'enfant qu'elle est prend sur elle de tout avaler. Voilà, bravo, j'ajoute, car aimer la Mère, c'est aussi la féliciter.

Pourtant, il suffit que les femmes surgissent, d'un coup, dans la grande salle commune, caquetantes et peu gênées de troubler l'intimité de cet instant, pour qu'en une fraction de seconde la Mère me fasse un discret signe de la main afin que je cède ma place aux nouvelles venues. Et il faut les voir écarter du pied le grand verre d'eau, éteindre les bougies, demander à la Mère de se lever, déplacer le matelas à l'autre bout de la pièce et, à l'endroit même où j'étais assise, s'installer à leur aise.

Détruire ce que j'ai construit.

Imposer leur règne.

Et vous croyez que j'oublierai l'ingratitude, la complicité, l'abandon ? Que tout ce que de moi j'offre, tenez, prenez, ceci est ma vie, un jour, on me le rendra ? Que toutes ces nuits au cours desquelles je me réveille pour m'assurer que la Mère ne s'enfonce pas de chiffon dans la gorge comme il lui arrive de le faire durant ses crises d'angoisse, quelqu'un sur cette terre s'en souviendra ? Qu'être là sans rien réclamer ni attendre si ce n'est elle, elle, tout entière, qu'être là par don de soi – la gentille chienne que je suis – puis s'entendre dire : toi, tes caresses, tes câlins, ta salive, je n'en veux plus, ça finira par passer ? Car ce que je donne à chaque fois que les femmes et la Mère me le demandent, jamais ne me revient et c'est, continuellement, me sentir volée.

Et je voudrais, ce prix-là, le prix du sacrifice, ne plus jamais le payer.

V

Laissez-moi aller vers mon maître.

Genèse, XXIV, 54.

Une femme dit : un monsieur est arrivé qui doit parler à la Mère. Reste avec nous.

Et malgré les bras des unes qui me retiennent et les mains des autres qui, déjà, caressent mes cheveux, mes yeux demeurent rivés sur l'ombre projetée contre le mur de la cuisine. Une ombre qui s'étire et se déplace au sol jusqu'à s'approcher de moi et aussitôt s'éloigner.

Les femmes me serrent de plus en plus fortement contre elles. Il y a bien longtemps que tu n'as plus dormi avec nous, chuchotent-elles à mon oreille. Maintenant, je sens leurs doigts parcourir ma nuque, mon dos, descendre jusqu'à mon ventre. Les femmes répètent qu'elles aussi, avant d'être *placées* ici, vivaient avec leurs enfants. Que j'ai la voix, le sourire, le visage, le corps fragile de ces enfants.

Je me sens transpirer et l'odeur de naphtaline attachée aux vêtements des femmes me donne la nausée. Je vacille sous le poids de tous ces corps qui se pressent autour de moi. Des seins s'écrasent contre mon front. M'aveuglent. Et je voudrais crier mais je suis sans voix. Sans voix, comme dans ces cauchemars où les appels au secours sont étouffés avant même d'être lancés.

Dans la cuisine, j'entends la Mère qui répète, d'un ton las : ta sœur t'a menti, ils t'ont tous menti, je suis innocente. Et l'ombre de laquelle mes yeux écarquillés ne parviennent pas à se détacher, grandit, noircit, devient menaçante et peu à peu je commence à craindre ce que cette ombre pourrait faire à la Mère. L'aspirer, l'avaler, l'engloutir.

Avoue, lance l'ombre avec ardeur, avoue et tu pourras rentrer à la maison avec ta fille.

Une douleur me saisit, sourde que j'aurais préféré être à cet instant précis où j'entends l'ombre parler de moi. Et dire *ta fille*. Avec ta fille, comme si je n'étais que la fille de la Mère. Avec ta fille. Avec ce. Avec ce paquet qu'on traîne, n'est-ce pas, qu'on repousse et qu'on oublie dans un coin de la pièce sans s'inquiéter de ce que deviendra le paquet. Et je voudrais dire à l'ombre ce que je suis devenue, ici, une adolescente chétive, farouche. Je voudrais lui montrer les poignets entaillés, les cicatrices sur les genoux, mais les femmes refusent de me lâcher. Viens avec nous, répètent-elles quand, soudain, d'une voix fracassante, l'ombre crie : laissez-la tranquille.

Et les femmes, doucement, me libèrent.

Lentement, je me rapproche alors de l'entrée de la cuisine pour voir l'ombre de plus près. J'aperçois ainsi une main. L'épaisse main de l'ombre qui dépose sur la table un morceau de viande mal ficelé et telles des furies, les femmes me bousculent et font irruption dans la cuisine. Les femmes, oubliant la main, oubliant l'ombre, se jettent avec violence sur la tranche de viande.

Puis l'ombre disparaît, me laissant seule, dévastée, une béance en pleine poitrine, et cet écho, laissez-la tranquille, laissez-la tranquille, qui résonne dans ma tête tandis que la Mère passe près de moi, me frôle et rejoint la grande salle commune.

Qui sait quelle heure de la nuit il est? Qui sait depuis combien de temps je suis là, réfugiée sur la grande terrasse, dans l'air refroidi, à pleurer, saisie du besoin irrépressible d'exprimer la tristesse qui me ronge et de laisser exploser, aussi, la colère que je nourris contre le Père.

Pourtant, la nuit entière, je rêve de son retour.

Le lendemain matin, je me réveille dans la chambre sans fenêtre avec, à l'esprit, l'image de la main. La rancune a presque disparu et laissé place à un vide immense. Je voudrais pouvoir me défaire de cette torpeur et reprendre le cours de ma vie à l'endroit même de son interruption. La force de me relever, étrangement, je ne la trouve que dans le souvenir vivace de la voix, de l'odeur, de la présence du Père.

Dans la recherche d'une forme de rapprochement.

Puis, je quitte mes draps et les déchire. À l'aide des larges morceaux de tissu obtenus et tenus ensemble par une épingle à nourrice, je bande les seins pour les empêcher de pousser et dissimule cet épais corset sous un chemisier noir dont je ferme tous les boutons. La poitrine comprimée, ma respiration se fait douloureuse mais j'éprouve un grand plaisir à savoir ma colonne vertébrale très droite, le tronc parfaitement régulier, le dos solide car il y a dans cette posture, qui exige de constants efforts de maintien et de concentration, suffisamment de vigueur pour me distinguer des femmes de la maison.

Et c'est être supérieure à elles, aussi, que de m'astreindre, à travers chacun de mes gestes, chacun de mes mouvements, chacun de mes repas, à maîtriser l'apparition des poils, la fortification des os, l'accumulation progressive de la graisse sur les hanches et les cuisses, à surveiller, en le mesurant, en le pesant, ce corps qui menace de s'arrondir à outrance pour finir, à travers ce développement biologique, par disparaître, et n'être plus que ça, qu'un corps de femme.

Qui n'est qu'une autre prison.

Les femmes insistent pour que je prenne soin de mes cheveux, de mon intimité. Elles déposent régulièrement sur le plaid de la chambre sans fenêtre des vêtements neufs, des flacons de parfum, des bijoux, une petite lame de rasoir enveloppée dans un mouchoir. Elles pilent des herbes dans une coupe de terre cuite, y ajoutent quelques gouttes d'huile et arguent qu'en buvant cela, d'un trait, chaque matin, l'appétit me viendra. Qu'il me faut, à mon âge, commencer à grossir.

Je veux grandir, je rétorque, mais déjà les femmes sont reparties car n'importent pour elles, au fond, que les contours du corps. Son épaisseur. Son volume. Sa capacité de dilatation.

Ce soir, les femmes ont dit : tout de même, c'est honteux. Tes jambes, tes aisselles, ton sexe, rase-les.

Alors, après le souper, je me suis rendue dans la salle d'eau et m'y suis enfermée à double tour. À mes pieds, j'ai pris soin de déposer une serviette en coton, un gant de crin, un morceau de savon noir, un flacon d'alcool, un seau rempli d'eau, ainsi que la petite lame claire. L'air froid pénètre la pièce par les fissures des murs et comme les femmes m'ont appris à le faire, avec du papier journal que j'ai imbibé de salive puis roulé en boule entre mes doigts, j'ai colmaté les brèches. Les cloisons sont fines, en certains endroits instables. Le mortier s'effrite et laisse apparaître la face rugueuse des briques de ciment. Prenant garde à ne plus y toucher, je me suis relevée et ai commencé à me déshabiller. Cette nudité qui n'a, jusqu'à présent, jamais été que celle des *autres*, la nudité des corps féminins entraperçue par la serrure de la porte de la chambre du sous-sol, soudain, devient la mienne, ma nudité, totale et effrayante.

C'est voir la peau blanche et ce qui bat sous elle, le sang, comme par effet de transparence.

Et les mains dans le dos, tête baissée, appuyée contre le lavabo en faïence, les pieds brûlés par la froideur du dallage, je me suis demandé ce qui m'attendait et où je serais dans trois ans, dans quatre ans, entre quels murs, avec quel visage, quel corps, pour faire quoi?

Pour qui?

Et m'apprêtant à faire glisser la lame de rasoir sur ma peau, j'ai revu les femmes chercher du regard mon corps sous la longue tunique. Sans aucune gêne, quand bon leur semblait, elles tâtaient les épaules, palpaient les cuisses, à plusieurs, et c'était sentir, à travers leurs mains, les mains des hommes en rut qui les avaient touchées de cette façon, avec un tel mépris, une telle violence, avec cette envie de les manger, de les dévorer à pleines dents jusqu'à ce que d'elles ne demeure rien. Pas un son de voix.

Les femmes d'ailleurs le disent, s'en vantant presque, la nuit de leurs noces, elles n'ont pas crié.

Sans plus attendre, je me suis alors rhabillée et j'ai ramassé mes affaires une à une, ai rejoint à toute vitesse la chambre sans fenêtre, m'y suis enfermée à double tour. J'ai fermé les yeux et prié le Père de venir me chercher.

VI

La femme vit que l'arbre était bon à manger et agréable à la vue et qu'il était précieux pour ouvrir l'intelligence ; elle prit de son fruit et en mangea ; elle en donna aussi à son mari, qui était auprès d'elle, et il en mangea.

Genèse, III, 6.

Les yeux rivés sur l'annulaire duquel sa bague de fiançailles a été retirée à l'instant même où *ils* ont fait le choix de la placer dans cette maison, avec sa nuque si naturellement courbée, ses épaules chétives, avec sa poitrine creuse, les yeux enflés par les pleurs, la Mère, juchée sur un tabouret de bois, raconte aux femmes assises autour d'elle – les femmes aux yeux grands ouverts – son histoire.

Et je voudrais entrer dans la grande salle commune et je voudrais me joindre à elles pour écouter ce qu'à moi la Mère a toujours tu. J'ai croisé son regard. Elle a remarqué mes hésitations mais ne m'a pour autant pas invitée à m'avancer davantage. Alors, l'épaule appuyée contre le cadre de la porte, j'ai figé mes bras le long du corps et ai entendu la voix de la Mère d'ordinaire faible et voilée soudain devenir forte, se déployer dans l'espace, s'élever. Et nous soulever avec elle à chaque intonation, chaque souffle, chaque silence. Et c'était découvrir la Mère que j'aime sale, que j'aime folle, la Mère qui craint de mourir seule – tu ne vas pas mourir, je répète, mais quelque chose en elle, depuis un certain temps, ne veut plus entendre, ne veut plus comprendre – oui, c'était découvrir la Mère comme jamais je ne l'avais connue, certes toujours accompagnée de son aura de misère – la longue natte filasse, le vieux chandail marron, la jupe aux bords élimés – mais respirant, aussi, une certaine ferveur, une passion. Un amour.

La Mère a dit :

"Il est demeuré debout, immobile près de l'armoire du salon bleu, dans la vaste demeure familiale, tandis que les autres criaient salope, salope. Et je voudrais ne pas avoir à lui pardonner car je voudrais ne plus être prise au piège de la colère."

Je me suis balancée d'avant en arrière, sur un pied. Et comment, chaque fois qu'elle parle de lui, ne pas ressentir cette torsion du cœur, ce vacillement du corps tout entier ? Comment ne pas vouloir qu'elle poursuive le récit de sa vie et me dévoile les mystères qui encombrent la mienne ? Car, de la récente et furtive visite du Père, la Mère ne m'a rien dit, rien, pas une explication. Pas un mot de consolation. La Mère a comme oublié. Comme voulu, aussi, que j'oublie l'existence même de ce Père.

À croire que la Mère m'a faite seule.

Elle a poursuivi :

"Sur cette place du marché, le marché où tous les matins je vendais des fèves et des petits pois écossés qui, dans la bassine en plastique, formaient des monticules, je me tenais accroupie sur le trottoir, un morceau de bâche protégeant mes genoux de la caillasse. Il est passé à quelques centimètres de moi, sans me voir, parce que les hommes de cette trempe, mais c'est une race en vérité, ça ne regarde pas le sol quand ça marche, non ça regarde droit devant soi, très loin devant soi, à se demander ce qu'il y a devant eux qu'il n'y a pas devant nous. Moi, j'étais de ces filles à qui on tirait la queue de cheval, à qui on volait la petite monnaie si durement gagnée – des heures entières passées sous la pluie comme sous la chaleur écrasante – et après, après, dites-moi où trouver le courage de rentrer à la maison, sans le sou et la bassine abîmée par les coups de pied des voyous?

Lui portait une veste noire aux boutons argentés. Un pantalon à pinces trop large et trop long qui lui mangeait les chaussures. Son absence de sourire, son indifférence aux cris des poissonniers et des vendeurs de fruits et légumes, tout cela m'avait bouleversée. Et mon cœur. Ce cœur qui s'emballait pour la première fois. Il a fallu qu'au moment où il se retourna, son pied droit vienne percuter la bassine. S'excusant aussitôt de sa maladresse, il se baissa et se mit à ramasser les fèves et les petits pois renversés à terre. Il remplissait sa paume, la vidait dans la mienne, me répétant qu'il me suffirait de lui dire combien il me devait pour que je sois remboursée sur-le-champ.

Il y avait sa voix si grave qui, sans que je ne sache comment, a enveloppé tout mon être. Cette voix qui, continuant à m'étourdir, m'a fait douter du lieu où je me trouvais, du jour qu'on était et je n'ai plus voulu qu'une chose : que cet homme reste près de moi. Car une seule et unique seconde avait suffi à me convaincre, au plus intime, à quel point, malgré les années qui nous séparaient, nous étions faits pour vivre et grandir ensemble. Et peu importe ce que les gens diraient, que le riche veuf épousait la vendeuse de petits pois, rien ne compterait."

Et la Mère, passant ses mains sur son visage, a laissé planer un long silence et a fixé du regard les femmes immobiles. Hypnotisées.

Avant de reprendre :

"Il était cet homme que j'avais laissé entrer dans ma vie parce qu'un matin, il m'avait heurtée en s'excusant.

Quelques jours plus tard, me voilà qui marchais à ses côtés, dans les rues de villes lointaines, où nous n'étions connus de personne.

Dans le reflet des vitrines des échoppes, je me suis vue mettre mes pas dans les pas de cet homme, le sac à main frôlant mes hanches. Et lui me parlait et moi j'acquiesçais de la tête. Je voyais ses lèvres remuer, je percevais le son de sa voix mais je ne comprenais pas le sens des mots qu'il prononçait. Toute mon attention était concentrée sur ma poitrine. Je sentais mon cœur battre, grossir, se charger d'une matière si lourde, si brûlante et cette matière dans tout mon corps se répandait.

D'un pas décidé, il a poussé l'épaisse porte d'un café. Il y est entré comme chez lui, et dans les grands miroirs qui habillaient les murs je me suis vue, à nouveau, marcher à ses côtés, les joues moins rouges que je ne l'avais imaginé, l'allure sérieuse. Et d'une voix si tendre, avec un grand sourire, sa main m'indiquant où m'asseoir, sur la petite chaise en bois, voilà, il a lancé, je crois qu'ici nous serons bien. Touchée par cette attention qu'il portait à mon confort, pour la première fois, j'ai osé lui sourire.

Et nos pieds sous la table, par moments, se sont touchés.

Autour de nous, flottait une atmosphère des plus étranges. Comme si rien d'autre que nous n'avait d'importance. C'était, pour la première fois de ma vie, avoir le sentiment de compter pour un homme.

La gérante du café, assise derrière le comptoir, n'a pas tardé à nous demander ce que nous voulions boire.

Je n'ai pas encore choisi, j'ai murmuré, confuse. Et ce regard plein de mépris qu'elle m'a alors lancé, que j'ai feint de ne pas remarquer par peur qu'elle ne recommence, lui, lui, il l'avait vu et posant ses mains à plat sur ses cuisses, fronçant les sourcils, la voix sûre, quelque chose ne va pas, il a demandé. Le sentiment nouveau que ce fut alors pour moi, à cet instant, de me sentir je dirais : protégée. Protégée par son amour. Et durant de longues minutes, comme jamais on ne m'avait permis de le faire, j'ai pris le temps de regarder, dans les yeux, un homme, cet homme, qui n'était ni un père ni un frère ni un oncle, cet homme avec lequel je me sentais heureuse.

Ma main a saisi le verre d'eau et dans le grand miroir face auquel j'étais assise, encore une fois, je me suis vue avoir ce geste lent et délicat et longtemps je suis demeurée ainsi, droite, immobile, silencieuse, me découvrant comme pour la première fois de ma vie, avec un cou que je ne savais pas aussi fin, des cheveux aussi clairs, aussi longs, une poitrine haute, et parfois, le temps d'une seconde, il est arrivé que mes yeux croisent ses yeux à lui, de beaux et grands yeux noirs. La seconde se prolongeait et c'était me perdre si loin de tout. C'était être débarrassée de la peur de voir ce que je voyais. De ce qu'on me montrait. Ça, ces joues, cette bouche, ce menton, ces clavicules saillantes, ce buste, ces mains, cette peau qu'éclairait la faible lumière du jour, une peau sombre à certains endroits, translucide à d'autres dont se dégageait une beauté si forte.

Et peut-être qu'il n'était plus temps d'attendre, d'espérer, mais l'heure de faire l'expérience bouleversante de l'amour. Pour et par lui. L'amour qui me faisait grandir et me rapprocher de moi-même au fur et à mesure que je m'approchais de cet homme dont je devinais tout des blessures, des obsessions puisqu'en nous quelque chose se confondait.

Dans le bruit des bavardages et des rires, sous le poids du brouhaha qui montait, nous, nous n'entendions que le martèlement du cœur dans sa cage.

Alors, nous sommes partis."

La Mère, à nouveau, marque un long silence tandis que je demeure, près du chambranle, immobile, profondément affectée, fascinée, aussi, par ce récit sensible dont je ne pensais pas la Mère capable, elle qui s'est toujours attachée à se montrer, entre les murs de cette maison et d'aussi loin que je me souvienne, d'une telle fragilité, d'une telle atonie et face à moi, en particulier, d'une indifférence grandissante. Alors, l'écouter dérouler le fil de son histoire, c'était découvrir, à travers la Mère, une autre Mère. Une Mère attendrissante, habitée par un éternel chagrin qu'elle savait décrire avec une telle lucidité, une telle précision, avec cette élégance dans la souffrance, cette retenue, aussi, dans sa voix, dans ses gestes. Et j'ai eu la sensation, en la voyant ne pas pleurer, ne pas crier, oui, j'ai voulu pleurer, j'ai voulu crier à sa place.

Et la Mère a continué :

"Au bout d'un certain temps, notre attachement devenant si vif, nous avons commencé à nous retrouver dans des auberges, en bord de route, entre deux villes. Et durant ces matinées, ces après-midi, je sentais toujours, au moment de m'asseoir sur le rebord du lit, monter en moi une peur terrible à l'idée qu'un membre de ma famille découvre notre liaison.

Et puis sa façon à lui, quand je gardais le silence parce que ma honte grandissait, parce que les larmes

62

montaient, de caresser ma joue et de dire ça, de dire :
ça ira, ne t'inquiète pas, ça ira.

Mes yeux ne quittaient pas les siens, c'était comme
vouloir voir ce qu'ils voyaient, cette femme adossée
au mur, épaules dénudées, genoux remontés, des
mèches de cheveux balayant les seins, et le maquillage qui coulait et faisait un visage défait, tout ce noir
sur le visage et lui qui, du bout des doigts, voulait
effacer ce noir. Il ne faut pas pleurer, il répétait, ça
ne sert à rien de pleurer. Je m'accrochais à lui, à ses
bras que je voulais épais, lourds, étouffants, et c'est
dans sa peau à lui, la peau de ses bras, que je mor-
dais quand me revenait en mémoire le visage de mon
père que j'avais le sentiment de trahir.

Puis ma bouche, il l'a prise, et c'était sur sa langue
ce même goût de sel que sur la mienne.

Nous étions lui et moi sur une vieille moquette
râpée, à l'endroit du naufrage. Après, il y a eu cet
emballement du cœur, nos corps tendus à même le
sol. Contre lui, je me suis serrée si fort, la tête au
creux de sa nuque, mes cuisses entourant son bassin,
lui griffant le dos, avec cet étonnement de découvrir
qu'un visage peut être noyé sous les pleurs et respirer encore. À mon regard que je détournais, il savait
que je pensais à *eux*, toujours, les membres de ma
famille et que je me sentais coupable de vivre ce que
je vivais. Il passait longuement ses mains dans mes
cheveux, puis c'était sa paume qu'il posait à l'arrière
de ma tête, en appuyant, à peine, et ce simple geste
me soulageait, quelque temps, du mal que j'avais.
Il le sentait et alors il continuait tandis que j'étais
allongée sur lui, les bras autour de son cou, et ce
corps si lourd. Il était sous mon corps, sous mon
odeur, sous mon emprise, c'était plus fort que lui, il

disait, à cet instant, ne pas pouvoir être ailleurs que sous moi, il disait encore, encore. Dans la tête, d'un coup, c'était ne plus comprendre ce qui se passait ailleurs, sous la peau, le flux et le reflux du sang, et toutes ces décharges électriques qui me traversaient à chaque pression de ses doigts sur ma taille, dont je ne me remettais pas ou si longtemps après. Quand les baisers venaient.

Si fort, la pluie frappait contre les carreaux de la vitre. Dans mon souvenir, c'est un son continu que les souffles haletants, les gémissements, les cris, les plaintes, souvent, ont recouvert au point de nous laisser exister dans l'oubli de la ville, dans l'oubli de sa grandeur, de son vacarme. On était ça, ce qui demeure après le passage de la foule, jetés à terre, trempés de sueur, hagards et ce sentiment, aussi, que j'avais, au sortir de l'amour, de m'y être blessée.

Je ne savais pas que l'on saignait. Et que le sang venait avant la jouissance.

Dans le corps, j'avais cette lourdeur qui naît de l'amour, la trace des étreintes violentes, sur la peau mon odeur remplacée par la sienne, les paumes des mains si moites, la nuque douloureuse, un sentiment de somnolence, de langueur, cette fragilité des jambes, le souvenir, au plus profond de la chair, que de la douleur avait pourtant surgi le plaisir, le regret immense que tout soit fini, et à chaque seconde, j'éprouvais le manque quand après avoir trouvé, au creux de ses bras, un refuge et m'y être laissée aller tout entière, des heures durant, il fallait désormais revenir à moi-même, réapprendre à respirer, à tenir debout, à marcher.

Alors, j'ai passé un peu d'eau sur mon visage, j'ai séché mes mains à l'aide d'une serviette, j'ai attaché

mes cheveux, j'ai passé mes doigts sur la ligne des sourcils, je me suis rhabillée, le soutien-gorge, d'abord, que
j'ai agrafé avant de placer les bonnets sur les seins, puis
la culotte, les bas de nylon, la jupe et le chemisier, j'ai
ramassé les quelques affaires qui traînaient sur le sol,
j'ai allumé une cigarette, je me suis assise sur le rebord
du lit, j'ai cherché des paroles à prononcer, des paroles
qui diraient, regarde-moi, s'il te plaît regarde-moi, je
suis là, mais je n'ai rien pu dire, longtemps j'ai fumé,
le regard rivé à la fenêtre, silencieuse.

Puis il s'est approché de moi et m'a dit qu'une
fois mariés, il me présenterait son fils né d'un premier lit."

Et, refusant de croire ce que la Mère vient de révé-
ler – comme si de rien n'était, sans un regard, sans
une attention –, j'ai couru me réfugier dans la salle
d'eau.

Ce poids soudain sur ma poitrine, dans mon
ventre. Les os du corps que j'imagine bientôt se
briser parce que la voix de la Mère a ce pouvoir, le
pouvoir de me briser et dans ma tête, je continue
de l'entendre parler, et dire ça, dire *son fils*, avec un
tel détachement, une telle distance.

Et jamais, jamais je n'oublierai, les mains cram-
ponnées au rebord du lavabo, le buste penché vers
l'avant, le souffle coupé, cette sensation d'un poi-
gnard planté dans le dos. Appuyée contre la porte
de la salle d'eau pour empêcher quiconque d'entrer,
je saisis, posé sur l'étagère, un petit débris de miroir
aux bords épais et tranchants dans lequel j'observe
le bombé du front, la ligne des sourcils, l'arrondi
de l'œil, le creusé de la joue, la finesse de la bouche
et je tente d'imaginer, à travers mes traits, les traits
du fils du Père.

Et la violence inouïe que c'est alors de me dire que dehors. Dehors, il y a un garçon qui est avec le Père tandis que moi, je suis là, avec la Mère, noyée sous ses cris, noyée sous elle, et cette noyade qui pour nous deux est d'être sans homme. Ce garçon qui, peut-être, à tout moment du jour et de la nuit, s'il le souhaite, peut se lever, saisir sa main, la serrer dans la sienne, et moi qui ne connais pas cela, cette sécurité. Quand il fait noir dans la maison, que les femmes grattent contre la porte de la chambre sans fenêtre, qu'elles en veulent à mon corps de fille pour nourrir leur corps de mère, qu'elles hurlent leur amour qui n'est qu'une forme de faim, la main du Père qui protège, Dieu, comme je la recherche.

Doucement, je me laisse glisser le long du mur jusqu'à me retrouver à terre, jambes écartées, une douleur intense au bas du dos, sur le visage, toujours, ce masque de l'hébétude et, les yeux dans le vide, je continue à distinguer la voix de la Mère, la Mère prostrée qui dit : je vous parle à vous toutes qui bientôt partirez car pour ma part, j'ai perdu tout espoir.

Si vous pouviez entendre la voix qui s'élève, les sanglots qui l'encombrent, le silence, aussi, qui vient, d'un coup, y mettre fin, ce silence qui me laisse penser que la Mère est morte ou peut-être est-ce moi, et plus tard, les lamentations, les exhortations, les hurlements des femmes en pleurs, qui reprennent, qui retentissent et que le bois de la porte amplifie tandis que je plaque la paume des mains sur mes oreilles. Je remonte mes genoux contre ma poitrine et me mords les lèvres pour ne pas crier mais je crie, de toutes mes forces, sans qu'aucun son ne sorte de ma bouche – c'est encore comme dans ce cauchemar.

VII

Sépare-toi donc de moi.

Genèse, XIII, 9.

(Carnet intime d'une autre femme découvert dans une armoire :)

"Dans cette maison, l'atmosphère est sinistre. Pour ne pas dire insupportable. Comment ai-je fait pour me retrouver ici? Le cimetière, je crois, n'aurait pas été pire punition. Nous vivons dans une promiscuité continuelle. Dans la salle d'eau, dans la cuisine, dans la cour intérieure, c'est toujours cette même sensation d'entassement. D'étouffement. D'empilement. Nulle part où se réfugier sans être épiée par les autres femmes qui vivent ici depuis un an, deux ans, et qui rôdent, la journée entière. Elles m'ont déjà volé un poudrier, une barrette à cheveux, une lime à ongle. Elles me voleront encore d'autres affaires, je le sais. Je m'y prépare comme je peux en me répétant que ces objets ne valent rien. Si elles le veulent, d'ailleurs, je leur donnerai volontiers tous mes vêtements, toutes mes bagues, tous mes colliers, pourvu qu'elles ne me fassent pas de mal.

Je suis la dernière arrivée.

Jamais je ne l'aurais cru si je ne l'avais vu de mes propres yeux mais les femmes, entre les murs de cette maison, ont créé plus qu'une famille. Elles forment une secte qui, chaque soir, se regroupe autour d'une femme aux cheveux très clairs dont on dit que la belle-famille, riche et puissante, a interdit à l'époux de la libérer… Quelque temps après son mariage, elle aurait mis en péril l'honneur de la lignée.

Personne ne sait exactement ce qu'il s'est passé mais une chose est certaine : elle exerce sur les femmes qui l'entourent une étrange fascination. À sa manière de les regarder, de leur parler, de les toucher, cette femme leur transmet une force. Elle répète souvent, en lavant son linge, en cuisinant, en frottant les carreaux : n'ayez peur de rien car en quittant cette maison, vous serez plus grandes qu'*eux*.

En entendant ces simples mots, certaines femmes se mettent à pleurer et tombent dans ses bras. J'avoue être moi-même émue par cet amour qu'elles manifestent les unes envers les autres et que d'ordinaire, dehors, on ne se témoigne pas. La pudeur, peut-être, la honte, la tradition.

Cette femme est une mère pour toutes les femmes sauf pour l'une d'entre elles, qui semble être bien plus jeune. Dans le couloir, dans la grande salle commune, dans les chambres, je les ai vues s'ignorer. C'est étonnant. D'autant plus que j'ai compris, il y a peu de temps seulement, qu'elles étaient véritablement mère et fille."

L'évasion que je recherche dans la lecture de ces quelques pages ne dure jamais qu'un instant. Continuellement, je suis ramenée à l'endroit que j'espérais fuir, l'endroit du tourment. Et me revient en plein visage, cette image de ma relation avec la Mère. Une relation affaiblie par ces mots qu'elle n'a jamais su me dire, qu'elle sait pourtant dire aux autres, avec une si grande douceur, une telle bonté. Des mots que j'ai cessé d'attendre pour cesser de souffrir. Comme ces gestes, aussi, ces attentions, ces regards que je ne recherche ni ne demande plus. Par fierté. Par orgueil. Par peur, surtout, de revivre une énième expérience du désamour dont je sortirais, encore, blessée, abattue, car la Mère a ce pouvoir, le pouvoir de tuer la petite fille qui survit en moi.

Pourtant, durant ces derniers jours, je ne peux m'empêcher, minée par l'inquiétude, de faire les cent pas devant la salle commune où les femmes ont installé la Mère.

Allongée sur le matelas, la tête soutenue par un épais coussin, le corps recouvert d'un drap ainsi que d'une couverture, la Mère souffre d'une forte fièvre qui, malgré les médicaments et les nombreux remèdes administrés, ne retombe pas. À quelques mètres d'elle, n'osant pas encore l'approcher, j'entends la Mère parler à voix basse aux femmes et se plaindre de fortes douleurs articulaires ainsi que de sensations de froid intense dans le dos. Appliquées à prendre soin d'elle, les femmes, tour à tour, apposent sur le visage de la Mère des serviettes imbibées d'eau fraîche.

Ne sachant que faire, je suis entrée dans la salle commune et, non sans gaucherie, j'ai proposé aux femmes de remplir la vasque. De la tête, elles ont acquiescé. J'ai alors saisi la vasque posée sur le guéridon et m'en suis allée dans la cuisine. L'état de la Mère m'a jetée dans un profond désarroi et je suis demeurée, un long moment, le regard rivé au filet d'eau qui coulait du robinet sans me rendre immédiatement compte que l'eau débordait de la vasque. Alors, je l'ai un peu vidée et suis retournée dans la grande salle commune.

À genoux près de la Mère, penchée vers elle, je passe ma main sur son front brûlant et l'embrasse longuement. Je ne la quitte pas des yeux, je serre sa main contre ma poitrine, je lui souris, je lui dis des choses. J'ignore quoi, en vérité, mais peu importe, pourvu que ne s'installe pas, comme la Mère durant toute une partie de sa vie l'a redouté, le silence du malheur. Alors, je parle. Je parle, oui, je parle à la Mère comme jamais je n'ai osé le faire, avec vivacité, avec ferveur. Je lui dis qu'elle me manque depuis si longtemps. Je lui dis l'avoir cherchée partout, dans mes rêves, dans mes cauchemars. Je lui dis l'avoir cherchée dans la peur, dans la colère. Je lui dis l'avoir trouvée dans la tristesse puis l'avoir perdue dans cette même tristesse. Je lui dis avoir tout oublié de ces égarements, de cette errance. Je lui dis, ma main caressant sa joue, avoir tout oublié de l'isolement, de la solitude. Je lui dis me souvenir seulement d'elle, de sa vaillance, de sa force. D'elle combative, d'elle si fière. Que toute la vie, je ne saurai penser à elle sans penser à cette vie qu'elle a menée, dans la résistance.

Cette vie menée tambour battant.

Me souvenir, aussi, d'elle face au mensonge, face à l'humiliation, face à l'injustice, d'elle face aux fenêtres condamnées, face aux murs épais, face aux portes fermées. Me souvenir surtout, tandis que je sens sur mes épaules les mains des femmes me tirer vers l'arrière, oui, me souvenir surtout de la Mère, dans sa jeunesse. La Mère qui ne sera jamais une vieille femme. La Mère qui toujours aura ces cheveux blonds, ce teint très pâle, cette peau parfaite. Une peau d'enfant. La Mère qui est cette mère qui pour survivre, un jour, a cessé de l'être. La Mère qui est devenue cet ange qui ne m'a pas sauvée, dont les autres me parlent et que je ne connaîtrai jamais. La Mère qui est devenue cette étoile sous laquelle je n'ai pas connu le bonheur de vivre. Me souvenir, enfin, de tout ce que la Mère a apporté à ces femmes, qu'elle n'a jamais su apporter à sa propre fille, mais c'est ainsi, et je lui dis merci comme les femmes, elles aussi, bientôt, lui diront merci. Merci pour cette lumière qu'elle a été dans cette maison où il a fait si noir, merci d'avoir été ce guide dans une vie confuse. Ce prophète fragile aux yeux mouillés.

Et je voudrais, encore, tenir la main de la Mère. Je voudrais encore m'écraser de tout mon poids contre elle et sentir son parfum. Je voudrais m'endormir près d'elle et la suivre, là où elle ira et y demeurer avec elle, tout le temps que dure la mort.

Les femmes me répètent : c'est fini, maintenant c'est fini, éloigne-toi.

Et je l'observe, attentive au moindre tressaillement de ses lèvres, scrutant chaque plissement de son front, guettant le plus imperceptible mouvement des cils, jusqu'à l'obsession, jusqu'à m'en mordre les lèvres, mais ses paupières demeurent closes. La Mère est silencieuse. Autour d'elle, nous sommes toutes silencieuses.

Nous sommes toutes mortes, aussi, quand la Mère est morte.

Nous ne savons que faire si ce n'est demeurer près d'elle. Si ce n'est la regarder et nous demander, en notre for intérieur, puis à haute voix, maintenant qu'elle est partie, où est-elle ? Et plus nous la regardons, elle qui est morte dans cette maison, plus nous nous regardons, nous qui sommes là, nous qui savons où nous sommes, mais ignorons que faire.

Et c'est si terrifiant de se dire qu'en vérité, il est question de faire *quelque chose* de quelqu'un. Que ce quelqu'un qui est la Mère a désormais besoin qu'on fasse quelque chose d'elle. Je préfère dire quelque chose pour elle. Qui est peut-être remonter le drap sur son visage et c'est déjà comprendre que ce drap servira à faire disparaître la Mère et que la Mère, sous ce drap, n'étouffera pas, ne se débattra pas, que la Mère, sous ce drap, demeurera calme, immobile, que la Mère pourrait être, sous ce drap, durant des heures, durant des jours, sans se plaindre.

Puisque sous ce drap est sa place. Et c'est déjà trop.

Et c'est encore ne pas savoir, près d'elle, où nous tenir. Maintenant qu'elle ne ressent plus rien, maintenant qu'elle ne voit plus rien, quelle différence entre nous agenouiller à sa droite ou nous agenouiller à sa gauche, quelle différence entre caresser sa main ou embrasser sa joue, quelle importance ont nos gestes, nos paroles, nos pleurs et nos prières quand on sait que la Mère est morte. Que d'autres choses – et nous ne saurons jamais quelles choses – comptent désormais pour elle. Que nous, nous qui sommes restées, ne sommes pas concernées par ces choses-là, comme elle, aussi, ne sera plus jamais concernée par nos choses à nous. Qui sont le temps qu'il fait, les repas à préparer, le linge propre à étendre.

Et c'est lever les yeux, d'un coup, et voir des objets que la Mère a vus, que la Mère a touchés et nous dire que ces objets sont là mais la Mère, elle, ne l'est plus. Que ces objets ont duré plus longtemps que la Mère. Et c'est en souffrir.

Car jamais plus.

Je ne veux pas le croire et pourtant, une voix. J'entends une voix qui monte, tremblante, et annonce que plus jamais la Mère ne franchira le seuil de la grande salle commune, que plus jamais elle ne s'assiéra sur ce tabouret en bois pour dire aux femmes ce que fut sa vie de femme amoureuse, que plus jamais elle ne quittera la cuisine à l'instant où j'y entre, que plus jamais elle ne cherchera ses affaires égarées dans les chambres de la maison. Et une voix, cette voix en moi, prétend que la Mère a fini de se nourrir, de se vêtir, de se coiffer. A fini de s'inquiéter, de pleurer, de souffrir. Que plus jamais elle ne voudra se punir, se faire du mal, se tuer, car la Mère a fini de vouloir mourir. La Mère est morte.

Et nous devrions le comprendre et je dis "nous" maintenant que les femmes et moi sommes dans la même détresse comme je disais "je" quand j'avais, pour me protéger de cette détresse, une Mère vers qui me tourner. Maintenant, tous les matins seront des matins sans elle, comme les jours, comme les nuits, comme les mois et les années. Et comment s'empêcher de penser que désormais, tout, tout sur cette terre, sera sans la Mère? Qu'ils seront fous ou inconscients ceux qui ne ressentiront pas, dans leur chair, dans leur âme, cette incomplétude de la vie.

Et une femme dit : il faudrait aller chercher des vêtements propres puis la laver.

Pourtant, aucune d'entre nous ne bouge. Nous sommes abasourdies par cette nouvelle idée qui nous vient à l'esprit. L'idée de ce bonheur – ce faux bonheur – de la préparer. Mais la Mère, elle, est déjà prête. C'est nous qui ne le sommes pas.

Peu à peu les femmes se relèvent, s'en vont, et reviennent, les bras chargés de serviettes, de vêtements, de draps. Les femmes soulèvent légèrement la Mère, la redéposent puis commencent, doucement, très doucement, du bout de leurs doigts qui tremblent, à la déshabiller. Et c'est voir, sous les couches de tissu, le corps de la Mère apparaître, dans sa minceur, dans sa blancheur et continuer à espérer que rien de tout cela ne soit vrai, ni son silence, ni son immobilité, tandis que j'entends les femmes parler, tandis que je sens les femmes se mouvoir mais pas la Mère.

Durant des heures, les femmes s'affairent autour de la Mère. Me tenant debout sur le côté, j'observe le manège des petites mains qui ouvrent, ferment, tirent, boutonnent, lacent, serrent, nouent. Je ne tiens pas à ce que mes mains participent à ce manège. Je veux garder mes mains libres, à tout instant, de s'écraser contre mes yeux, contre ma bouche, contre mon front quand il m'arrivera de me souvenir ce que je perds en perdant la Mère. Une boussole, une direction, une destination. Et une voix – c'est toujours la même voix – revient de loin et dit : malgré tout, c'est bien que la Mère soit morte. Car si elle est morte alors elle n'est plus enfermée. Alors elle n'est plus accusée. Alors elle redevient l'innocente femme des débuts.

Le temps passe mais à quel rythme si lent, si lourd, quand soudain les femmes me font signe de venir voir la Mère, tel un nouveau-né qu'il faudrait bénir mais la Mère est morte et, un jour viendra, nous lui rendrons visite.

M'approchant, je découvre, près des femmes, allongée à même le sol, la Mère, le visage apaisé, les cheveux tressés, les bras le long du corps, les jambes parfaitement jointes. La Mère qui n'a plus froid, qui n'a plus mal. La Mère éternellement passive, éternellement patiente.

Puis une femme lance, d'une voix faible : demain, nous devrons *les* prévenir et leur demander de venir la chercher.

Et c'est recevoir un coup en plein cœur à l'idée d'imaginer des femmes et des hommes inconnus, entrer ici, chez nous, dans notre maison, avec leurs chaussures sales et bruyantes, leurs vestes poussiéreuses, avec leurs airs supérieurs, leurs manières brusques, leurs gestes déplacés. Oui, les voir entrer ici, dans la salle commune, comme en terrain conquis, et poser sur la Mère leurs mains épaisses, indélicates, leurs mains qui ne sauront pas prendre soin de la Mère car ces gens ignorent à quel point la Mère est douce et fragile.

La nuit entière, j'y pense sans pouvoir me résoudre à l'accepter.

Au matin – un matin pluvieux – dans une certaine confusion, les femmes se regroupent dans la cuisine et mettent, machinalement, leur tablier autour de leur taille. Elles remontent leurs manches et sortent des placards un attirail de casseroles et de poêles. À demi-mot, je leur parle du repas qu'elles préparent, leur tends les assiettes dont elles ont besoin. Puis geste après geste, la viande cuisant et l'eau des pommes de terre finissant de bouillir, dans l'odeur d'huile, au rythme du balancement de leur corps au-dessus de la petite table en bois sur laquelle elles pétrissent la pâte – et cette farine, ce sel, qu'elles saupoudrent ici et là, parcimonieusement, soucieuses de ne rien gaspiller, concentrées, appliquées –, les femmes répètent, à haute voix : bientôt ils arriveront, bientôt il faudra les nourrir.

Ils ne viendront pas, je dis, car nous ne leur demanderons pas de venir.

Il règne dans la pièce et dans le couloir la lumière surnaturelle d'après la pluie mais les femmes, de cette lumière, je crois, ne voient rien. Elles demeurent immobiles, face à leur petite table en bois, interloquées, puis lèvent vers moi des yeux stupéfaits.

J'ajoute : j'enterrerai seule la Mère.

VIII

Donnez-moi la possession d'un sépulcre chez vous, pour enterrer mon mort et l'ôter de devant moi.

Genèse, XXIII, 4.

Et à la nuit tombée, dans la quiétude de la ville endormie que ne dérange plus que le lent passage des derniers tramways, les femmes m'ouvrent la porte de la maison tandis que je tiens, serré dans mes bras, le corps inerte de la Mère. Au seuil de cette porte, durant quelques secondes, nous demeurons dans la contemplation de la Mère, de son visage figé que ni le souffle du vent ni le vol des insectes ne viendront perturber. Cette vision fait surgir en nous la honte, difficilement dissimulable, de sentir nos propres visages se contracter, se crisper. Nos visages être animés par le souffle de la vie. À chaque seconde qui passe grandit cette crainte d'offenser la Mère, malgré nous.

Et je demande aux femmes de retenir leurs larmes comme je retiens les miennes, car la Mère ne doit pas nous voir pleurer, ne doit pas savoir – ou pas tout de suite – qu'elle fait désormais partie de ces gens qu'on pleure. Les femmes sèchent alors leurs yeux, sèchent leurs joues et la porte s'ouvre.

Vient cet instant de la séparation.

Je m'avance et m'éloigne doucement puis entends, épais et bref à la fois, ce bruit de la porte qui se referme et du loquet qu'on abaisse. Je ne veux pas penser à ce qui se passe en ce moment même, à la Mère et moi qui avançons, le pas sûr, sur cette petite route déserte, à nous qui allons en un lieu précis. Je ne veux pas penser à ce qui se passera, en ce lieu plongé dans l'obscurité, un lieu désolé, enclavé entre une épaisse rangée de peupliers et un long muret de pierre, qu'enfant, déjà, j'apercevais du haut de la terrasse, et au-delà duquel je n'avais jamais osé m'aventurer.

Ne penser à rien, ne faire qu'avancer, les bras chargés et soudain, demander pardon, oui pardon à la Mère, de penser de telles choses. De penser qu'elle est une *charge*. Car je ne porte pas la Mère. Je la berce comme elle n'a sûrement jamais su me bercer. Maintenant, c'est son privilège de Mère morte que d'être traitée comme ma propre fille. Avec égards. Compassion. D'être entourée de mon plaisir, de ma joie, de dire ce que j'éprouve – comme peu de fois dans ma vie j'ai pu le dire –, cet amour si grand qui n'est pas un sentiment, qui est l'endroit d'où je parle, d'où je vois, où je vis.

L'amour qui est l'endroit où je suis.

Et je lui parle, je lui dis que nous sommes bientôt arrivées. Je lui dis que j'aperçois, à quelques mètres devant nous, comme dans mes souvenirs, le grillage métallique et le petit portail. Je lui dis que, dans l'air, plane cette odeur qui plane aussi, souvent, dans la cour intérieure de notre maison, une odeur d'herbes mouillées. Je lui dis que nous foulons maintenant la terre du cimetière, qu'ici encore, comme partout ailleurs, est sa maison car je jetterai bientôt sur son corps étendu et paisible cette terre du cimetière. Je lui dis que la terre la défendra, la protégera, je lui dis que la terre la gardera sans jamais l'ensevelir, sans jamais l'étouffer. Je lui dis que nous ne sommes jamais prisonniers de la terre.

Que dans la terre, nous sommes accueillis.

Je lui dis que j'aime ce qui lui arrive, moins terrifiant que tout ce qui lui est déjà arrivé. Je lui dis qu'il ne faut pas avoir peur car à cet instant où je la confie à la terre, à l'instant où mes mains se détachent de son corps, je suis encore avec elle. Ou plutôt, c'est elle qui est encore avec moi.

Comme on dit, incorporé.

Et agenouillée près de la Mère que j'ai fini de voir, que j'ai fini de toucher, je continue de parler, plongée dans une nuit à laquelle le jour qui approche donne des reflets mauves, et je promets de ne jamais dire ça, dire : je suis malheureuse car si, en réalité, il y a deuil et douleur, tristesse et affliction, en vérité, il n'y a qu'allée et venue. Il n'y a que passage. Et je promets à la Mère, dans mes errements, dans mes égarements, dans mes rêves, dans mes hallucinations, de ne jamais la retenir là d'où la vie a voulu qu'elle parte. Je promets, en fermant les yeux et en me souvenant d'elle morte, d'elle sous la terre, de ne jamais crier au scandale car alors je serai la fille qui ignore que tout ce qui nous est donné un jour nous est repris plus tard, que rien ne nous appartient, pas même ces Mères dont nous venons, pas même ces enfants qui viennent de nous, que rien n'est possédé qui ne finisse par nous posséder à son tour. Je lui promets, sous un ciel qui s'emplit d'étoiles, de ne jamais lutter, de ne jamais combattre. Je lui dis qu'éternellement j'embrasserai ce qui vient même si, allant vers elle, je n'ai jamais été embrassée.

Et je parle, je parle, et je lui dis merci de m'avoir préparée, avec dureté, avec distance, avec froideur, à ce qui désormais m'attend. Je lui dis merci de m'avoir habituée au manque, à l'insuffisance, à la rareté, merci, car grâce à elle plus jamais je n'aurai faim, plus jamais je n'aurai soif, plus jamais je ne serai seule. Je lui dis merci pour son amour qui ne m'a jamais comblée, pour sa présence qui ne m'a jamais satisfaite, pour ses baisers qui ne m'ont jamais consolée. Merci de m'avoir appris, en m'aimant de si loin, en m'aimant si peu, en m'aimant si mal, à devenir ma propre mère, à m'aimer moi-même.

Et, en repartant vers la maison où les femmes m'attendent, certainement regroupées dans la grande salle commune – comme à leur habitude –, tout le long du chemin, je continue de penser à la Mère. À ce qui me reste d'elle, de cette famille qu'à deux nous formions certains jours. Puis certains jours pas. Cette famille que je forme désormais seule et à chaque mètre franchi, c'est ressentir, qui remonte de si loin, une image trouble, ancienne et obsédante, se mêlant à l'image de la Mère, l'image de la main du Père.

Et plus j'avance plus j'ai devant moi, là, qui obstrue ma vue et ralentit ma marche, le portrait indistinct de ce Père qui habite à S., une ville voisine située plus au nord, à quelques heures d'autocar d'ici. Un Père coupé de mon existence, de son tumulte, un Père qui ignore que la Mère est morte et à qui je voudrais dire combien moi, la fille – la fille dont une fois il a pris la défense –, je suis vivante.

Et je ne veux plus rentrer à la maison, je ne veux plus entendre claquer la lourde porte de bois, je ne veux plus sentir sur moi les regards apitoyés des femmes, je veux demeurer sur cette route dans l'attente du jour qui se lève, dans sa clarté, dans sa fraîcheur. Je veux assister au réveil de la ville. Je veux retrouver ce qui m'a été pris. Tout ce temps, ce temps infini, ce temps éternel de l'adolescence. Je veux connaître ce qui m'est inconnu. Cette situation d'être en présence du Père, ressentir sa force, sa grandeur, comprendre ce qui a empêché cet homme d'être un père. Car quand il trouvait le temps de venir voir la Mère, de discuter des heures durant avec elle pour la convaincre d'avouer sa faute, quand il se figeait dans la cuisine, les mains dans le dos, tête basse, le visage inquiet, silencieux, quand il repartait puis revenait, quand il haussait le ton, devenait mena-çant, quand son poing s'abattait sur la table, savait-il seulement que j'étais là ? Et s'il le savait – et il le savait – pourquoi ne pas me regarder, ne pas me par-ler, ne pas prononcer mon prénom, ne pas m'em-mener avec lui, loin de la maison des femmes ?

Ce qu'il a fallu, cette nuit-là, de pluie tombée du ciel et d'air frais qui glace le sommet du crâne, les mains et les pieds, avant que je n'ose rebrousser che-min. Je me suis alors dirigée vers la gare routière, les yeux vissés à l'horizon. En moi naissait une ivresse profonde au fur et à mesure que je parcourais la ville, zigzaguant entre immeubles et bâtiments, le souffle haletant, le cœur prêt à imploser. Folie de vouloir vivre ainsi, au grand jour, sans plus personne pour m'épier, me surveiller, me contrôler. Mes pensées, mes gestes, qui ne seraient plus jamais entravés. La liberté que je m'apprêtais à recouvrer, enfin, car, en allant vers le Père, c'est vers moi que j'allais.

Arrivée à la gare routière, longtemps, je suis res-tée assise sur l'un des bancs de la petite salle d'at-tente avant que l'autocar à destination de la ville de S. soit enfin prêt à partir. Puis, me dirigeant vers le lieu de stationnement, j'ai entendu, dans ma tête, la voix de la Mère morte demander : mais où vas-tu ? Et malgré le trouble que cette voix a créé en moi, j'ai saisi l'épaisse poignée de la portière, je suis montée dans l'autocar et me suis installée sur la première banquette venue.

Et l'autocar, lentement, s'est ébranlé.

Un après-midi entier à avaler les kilomètres. Mais s'il n'y avait eu que cette distance que n'importe quel moteur vrombissant suffit à réduire, mon ventre n'aurait pas été si noué, le rythme de mon pouls si irrégulier, mes jambes prêtes à m'abandonner, chaque fois que je me demande, la tête reposant contre la vitre froide, encore combien de poteaux électriques, combien de chiens errants, combien d'hommes et de femmes, de champs labourés, combien de vieilles bâtisses à moitié détruites, combien de carrefours et de villages traversés, combien de ralentissements et d'accélérations, avant de pouvoir frapper à la porte de la maison du Père.

Une fois arrivée à S., je descends de l'autocar, accompagnée par les cris des chauffeurs, les bruits de sifflets des petits chefs, le crissement des portières mécaniques qui s'ouvrent et se referment péniblement, les klaxons des autres autocars qui s'apprêtent à reprendre la route. Debout sur le côté, émue d'être là, dans cette ville dont j'ai si souvent rêvé, je regarde autour de moi. Des bâtiments blancs, délabrés, qui ne servent plus que de refuge aux chiens errants, des abris de tôle froissés où les hommes et les femmes en partance se cachent du soleil, et tous ces autres assis le long du trottoir qui, peut-être, ne vont nulle part. Au loin, sans que je ne sache véritablement jusqu'où, se déploient des terres abandonnées, sur lesquelles ont été bâties quelques maisonnettes – des fermes, certainement. Je m'avance vers un conducteur de car et lui demande de m'indiquer le chemin à prendre pour rejoindre, comme la Mère, lors d'une nuit, l'a révélé aux femmes, tandis que j'écoutais à la porte, le quartier que l'on dit des Vandales. Le conducteur me fixe du regard un instant puis, d'un geste très lent, pointe du doigt l'horizon, m'indiquant ainsi, à quelques kilomètres de nous, au-delà des champs en friche, un regroupement de vieilles bâtisses peu hautes et de couleur grise vers lequel, sans plus attendre, je me dirige.

IX

Assieds-toi en silence, et va dans les ténèbres, Fille des Chaldéens! On ne t'appellera plus souveraine des royaumes.

Isaïe, XLVII, 5.

Une grande façade grise, ancienne et usée. De larges fenêtres aux cadres de bois repeints en blanc. Des fenêtres sans rideaux à travers lesquelles j'aperçois de profondes pièces colorées aux plafonds hauts. Parfois, je devine un miroir aux bordures dorées, des plantes, des étagères accrochées aux murs, une ampoule allumée. Chaque détail de cette maison correspond à la description minutieuse que la Mère en faisait aux femmes.

Et il y a cette porte épaisse en fer forgé de laquelle je m'approche et plusieurs fois de suite, je frappe.

La porte, doucement, s'entrouvre, avec un grincement continu. Les gonds, je pense, l'huile, il faudrait peut-être graisser les gonds avec un peu d'huile, et voir si le bruit se fait moins fort et, s'il persiste, recommencer, avec de la paraffine. La paraffine est toujours efficace, disaient les femmes, tant les portes et les battants des fenêtres de notre maison, la nuit, le jour, à notre passage comme à chaque coup de vent, sifflaient et toute la vie ce sera ce sifflement dans ma tête.

Une jeune fille apparaît, portant un long tablier, qui me lance : vous désirez ?

Je demeure longtemps, les pieds joints sur le paillasson, les cheveux détachés, les bras le long de mon corps, la tête droite, fixant cette jeune fille du regard sans véritablement parvenir à la voir car je ne vois plus rien. J'oublie où je suis, quelle est cette maison et ce que je suis venue y chercher. Je ne pense qu'à la Mère. La Mère désormais impuissante. La Mère qui n'aimerait pas me savoir loin de notre maison, me savoir seule dans cette ville inconnue aux rues labyrinthiques, me savoir, surtout, avec les membres de sa belle-famille.

Entre leurs mains, elle dirait.

Et à travers le brouhaha des rues, un brouhaha qui grandit et qui grandit, je crois entendre la voix de la Mère qui me dit de me retourner, de m'enfuir sans plus attendre. La Mère qui me dit qu'à l'instant même où ils me reconnaîtront, ils s'en prendront à moi comme ils s'en sont pris à elle, que ces hommes et ces femmes n'auront jamais rien de bon à m'apporter, que je suis folle d'espérer quelque chose d'eux, un geste, une attention, si folle d'être toujours là, face à cette jeune fille qui commence à s'impatienter et moi, muette dans ma robe blanche aux manches brodées de dentelle, qui ne sais que faire.

Et soudain, ça m'a comme échappé. J'ai dit : je voudrais voir l'homme qui vit dans cette maison.

La jeune fille ouvre alors grand la porte et m'invite à entrer.

Je la suis et ses pas me guident vers un vaste salon aux murs recouverts d'une épaisse tapisserie bleue aux motifs irisés. Au centre de la pièce trône une grande table en bois massif, sur laquelle est posée une coupe de fruits, et qu'entourent huit chaises au large dossier. Sur le côté, une autre table, basse cette fois-ci. Un long canapé en tissu noir et trois fauteuils. Je n'ose pas aventurer mon regard ailleurs bien que j'entraperçoive, plus loin, un escalier ainsi que deux ou trois autres portes devant sûrement conduire à la cuisine, au débarras et peut-être même à une arrière-cour.

Je demeure debout, immobile près d'une imposante armoire, silencieuse et en proie à l'anxiété, le crâne brûlant. La jeune fille me propose aimablement de prendre place puis elle disparaît. Entre, quelques minutes plus tard, une autre jeune fille qui dépose sur la table une carafe d'eau ainsi que deux verres et qui, à son tour, s'en va, me laissant avec une chape de plomb au-dessus de la tête. Bouche pâteuse et mains tremblantes. Tous ces objets sur lesquels mes yeux se fixent me rappellent à quel point, dans cette maison, je ne suis pas chez moi. Nul ne m'a invitée. J'ai décidé, seule, de venir réclamer ce qui m'était dû sans imaginer une seule seconde l'immense trouble qu'allait provoquer, en moi, cette intrusion dans un univers étranger.

Un instant, je pense sérieusement à me lever et à repartir quand surgit dans la pièce une femme de grande taille, vêtue de noir, qui s'approche et me salue en me serrant la main tandis que je m'apprêtais à lui tendre la joue. Et, à la façon qu'elle a de ne pas esquisser le moindre sourire, de me refuser toute forme d'accueil sincère, ma peur s'intensifie et je me dis que bientôt viendra le moment où cette femme me demandera de quitter sa maison. Mais la femme s'est assise près de moi, a rempli les deux verres et m'a invitée à me servir. Après avoir remercié, j'ai bu lentement, sans faire de bruit. C'est alors qu'esquissant un léger sourire, la femme a posé son verre sur la table, croisé les bras et lancé, d'un ton péremptoire : tu ressembles trait pour trait à ta mère.

Une violente secousse fait tressaillir ma poitrine. Les mots se perdent dans ma bouche. Je m'efforce, avec peine, de rassembler mes idées, de ne pas faiblir, de demeurer droite face à cette femme, de garder un semblant de fierté.

Et, souffle court, tête baissée, je réponds : je ne suis pas là pour la Mère.

La femme alors se lève de sa chaise et fait quelques pas dans le salon. Le bruit de ses talons contre le parquet de bois résonne dans toute la pièce. Et bien que mon regard ne se soit arrêté qu'un instant sur elle, il conserve une image précise de ses traits épais, de son nez court et épaté, de ses joues fardées, de sa poitrine rehaussée. Je lève prudemment les yeux et la vois fouiller dans son sac à main d'où elle sort un paquet de cigarettes. Elle s'approche de la fenêtre, l'ouvre et se penche en avant pour fumer. Durant un long moment, je l'observe du coin de l'œil. Elle a les cheveux courts et décolorés, les épaules et la taille larges, les mollets potelés et porte des chaussures marron à talon.

Maintenant, elle va et vient dans la pièce, rejetant la fumée entre ses lèvres et chaque fois que ses yeux s'arrêtent sur moi, je me sens rougir.

Sa voix retentit : et comment va ta mère?

Le regard baissé, je m'attache à contenir l'exaspération qui me saisit à l'entendre dire *ta* mère, d'un ton si dédaigneux, si méprisant. Et, retrouvant peu à peu mon sang-froid, je me retourne vers elle et lance : je suis là pour voir le Père.

La femme écrase son mégot dans le cendrier posé sur la table basse et revient vers moi. Je la vois allumer une nouvelle cigarette, jeter le briquet sur la table avec agressivité et aspirer une profonde bouffée qu'elle me souffle au visage. Penchée vers moi, elle murmure : pour l'instant, tu ne peux malheureusement pas le voir.

De nulle part surgissent des hommes et des femmes qui prennent place dans le salon. Certains s'assoient. D'autres s'adossent au mur. Les uns après les autres, ils se présentent à moi, de loin, comme étant un oncle, un cousin, une cousine, celui-ci est le frère d'un tel, celle-ci la sœur d'une telle. Je peine à retenir leurs prénoms tout autant que les liens de parenté qui m'unissent à eux mais je vois très distinctement leur visage. Larges et massifs, dépourvus de toute expression, des visages anguleux à la peau épaisse, des visages abîmés, durs, fermés. Maintenant, tous se sont mis à parler entre eux, à voix basse. Leurs bouches débordent de sarcasmes, de méchancetés. Ils me toisent du regard avec insistance et certains me jettent des coups d'œil de mépris, lourds de jugements. Je sens leurs yeux qui détaillent chaque mèche de mes cheveux, chaque centimètre carré de ma peau, chacun de mes mouvements. Mon corps est parcouru de décharges électriques. Je sens les larmes au bord de mes paupières et mon cœur se charger de tristesse.

Des jours et des jours passés à imaginer cet instant où je serais près de ces hommes et de ces femmes, où je pourrais les côtoyer, entendre leur voix, où je serais parmi *les miens*. Mais comme j'ai honte, ô si vous saviez comme j'ai honte de m'être à ce point illusionnée. Si je ne craignais d'anéantir mes chances d'être présentée au Père, je m'approcherais de ces hommes qui, affalés sur les fauteuils, n'ont de cesse de guetter le moindre rebond de poitrine, la moindre cambrure apparente sous l'ample uniforme des petites

servantes, et, à la stupéfaction générale, j'arrache-
rais de leurs mains épaisses ces chapelets de perles
d'ivoire qu'ils égrainent à longueur de journée puis,
sans rien retenir de ma colère, je déclarerais n'être
pas dupe de leur petit jeu pervers.

Mais je me mords les lèvres et m'interdis de
prononcer un seul mot tandis qu'ils continuent
à m'épier, à me lancer des regards de défiance.
J'éprouve la sensation d'être tout entière dévorée
par les membres de la tribu. Dévorée jusqu'à l'os.

D'être ça, l'os des chiens.

C'est la robe. La belle robe blanche de la Mère que
j'ai revêtue après sa mort. Une robe légère qui révèle
la saillie des clavicules, laisse deviner la forme des
seins, la rondeur des hanches, le rebondi des fesses.
Oui, je me dis que c'est la robe qui les rend si agres-
sifs à mon égard, avec ces façons sournoises qu'ils
ont de passer près de moi, de me frôler l'épaule, de
me bousculer plus franchement ensuite comme s'ils
cherchaient à me faire tomber au sol.

Alors, rassemblant mes forces, je demande : à quel
moment pourrai-je voir le Père ?

Je lis dans leurs yeux l'étonnement de m'entendre
m'adresser à eux sans que ma langue ne fourche,
debout, droite, une main posée sur la table de bois,
dans le grand salon bleu de la maison, ce salon dont
tous voudraient me voir disparaître. Et ils sont là,
soudainement hésitants, peinant à trouver des mots à
dire, une réponse à me donner quand seule la tante,
demeurée face à moi, avec près d'elle son mari, m'in-
dique que le Père dort encore.

Je sais, aux regards qui me fuient, à cette manière
de croiser et de décroiser les bras, de soupirer en passant près de moi, que de leur part je n'obtiendrai ni

aide ni information supplémentaire. Que fais-je ici, je me demande, sinon me sacrifier. Mais pour quoi ? Pour qui ? La moiteur a fini d'envahir mes mains. Je suis tout entière parcourue de frissons. Je ressens cette envie, aussi, de ne plus rien retenir. Une envie si grande de me laisser tomber par terre, entre la grande table de bois et les vases en porcelaine, de ne plus jamais me relever. De tout abandonner.

La famille n'existe pas.

Il n'y a, en vérité, de réel, que ces milliers de particules de poussière qui gravitent dans l'air, légères et infimes, échappées de ce rideau aux motifs fleuris que la tante s'est mise à secouer, avec véhémence, à trois ou quatre mètres de moi. Voilà, me dis-je, bientôt elle déplacera les armoires, nettoiera les plinthes des murs, retirera les toiles d'araignées qui pendent du plafond, récurera les carreaux des fenêtres. Tout. Elle passera tout à l'eau de Javel, des housses de coussins aux verres posés sur le petit guéridon à la nappe rouge pour effacer les traces de mon passage, alors va-t'en, je me répète, va-t'en, sauve le peu de fierté, le peu d'amour-propre qu'ils ne t'ont pas encore pris.

Vois, je me répète, vois quel est leur quotidien, toute cette méchanceté, cette manie qu'ils ont de s'épier continuellement, de se juger, de s'humilier, de s'exclure, de se punir, vois cet amour de la vengeance, ce plaisir des coups rendus, et les plus faibles qu'ils achèvent d'une parole, d'un geste. Vois tous ces désirs inassouvis qu'ils collectionnent, la tension qui en résulte, les visages de morts-vivants que ça leur donne, la solitude de chacun quand vient l'heure de regagner sa chambre, et ces cloisons qui ne retiennent rien des plaintes ni des râles, et c'est à ça, c'est à ce monde que tu souhaiterais appartenir ?

C'est de cette tribu que tu voudrais être ? C'est à eux que tu souhaiterais ressembler ? Pourrais-tu te regarder dans le miroir, te savoir n'être qu'une de plus, une partie du tout, un membre de, sans vouloir, ce miroir, le briser ?

Durant de longues minutes, je suis restée immobile au centre du salon, ne sachant si je devais rester ou partir quand la tante, soudain, est venue vers moi et m'a proposé, en attendant, de m'installer dans la chambre de la vieille gouvernante de la maison.

En attendant, ai-je répondu, oui, en attendant.

Et dans le long couloir qui menait à cette chambre, il faisait noir ou peut-être était-ce moi qui avançais les yeux à demi fermés pour pouvoir mieux penser au Père que, bientôt, je rencontrerais. Le corps du Père que je pourrais toucher, le seul véritable corps et qui cesserait de n'être qu'une vision, la nuit, dans mes rêves, pour devenir cette présence que je recherche. Ce corps auquel me raccrocher.

X

*Ne savez-vous pas que votre corps est
le temple du Saint-Esprit qui réside en
vous, et qui vous a été donné de Dieu,
et que vous n'êtes plus à vous-mêmes?*

Première épître
aux Corinthiens, VI, 19.

Et c'est si fort en moi, vous savez.

Ça hurle comme si on tuait quelqu'un qui peut-être serait la petite fille que j'ai été, dans ma tunique de lin beige, les cheveux crépus et le corps si mince, si fragile. Mon corps à la recherche d'un autre corps que j'ai cru être le corps de la Mère mais ce corps-là, le corps chaleureux, le corps accueillant, le corps du refuge, aussi, n'existe pas.

Et pourtant, ce corps, j'en viens, j'en connais le goût salé, l'amertume et, dans l'enfance, je l'ai parcouru du bout de mes doigts, je l'ai dévoré de mes yeux. Le corps de la Mère si adorable, si gracieux. Le soir, le corps de la Mère éreinté par des heures de travail domestique, je l'ai soigné, je l'ai veillé, je l'ai aimé plus que l'amour ne le permet. Pour ce corps qui est plus qu'un ventre, que j'ai cru être le dernier des paradis, j'ai étouffé mes propres cris, ignoré mes propres douleurs. Pour le corps de la Mère j'ai enfoui mon propre corps sous des couches de vêtements. Ce corps, je l'ai laissé avoir faim le jour et, la nuit, mourir de froid, pourvu que celui qui se reposait sur le matelas de la chambre sans fenêtre, le corps du silence, le corps des larmes, le corps enfermé, puisse jouir de ce qui manquait au mien car à travers ce sacrifice, j'ai joui, aussi.

Le corps de la Mère tel le lieu fixe du bonheur, j'ai longtemps espéré, après m'en être éloignée à l'adolescence, pouvoir y retourner – comme on dit : rentrer chez soi – et m'établir là, dans sa douceur, dans sa touffeur, dans sa suavité. J'ai voulu que ma peau se confonde avec la peau de la Mère, qu'elle et moi partagions la même bouche, les mêmes seins, le même sexe, et chaque matin, isolée dans la salle d'eau durant de longues heures, j'ai observé dans le miroir, un débris de miroir aux bords épais et tranchants, les traits de mon visage sans y déceler la splendeur des traits du visage de la Mère. Et c'était me sentir, d'un coup, tellement triste de savoir que de moi n'émanait pas, n'émanerait peut-être jamais, cette lumière si troublante des femmes naturellement belles.

Et quand je sortais de la salle d'eau, toujours plus dépitée que la veille, la tête lourde, le front bas, serrant dans ma main le débris de miroir, je ne pouvais m'empêcher d'éprouver, en apercevant les grands yeux noirs de la Mère, sa longue chevelure claire, cette silhouette longiligne, énigmatique, un terrible sentiment de jalousie qui me creusait la poitrine.

Et la Mère, de la souffrance de la fille, n'a rien vu.

La Mère a continué à aller et venir, entre la cour intérieure et la cuisine, vêtue d'une légère chemise de toile qui lui cachait à peine les fesses et c'était découvrir, au gré des courants d'air, malgré certaines flétrissures, au niveau des hanches et des cuisses, c'était comprendre à quel point, pour ces corps-là, les corps du combat, les corps de l'endurance, les corps de la résistance, en vérité, le temps n'est rien. Le temps ne peut ni abîmer, ni dégrader, ni altérer. Le temps ne fera que conserver dans leur robustesse, dans leur fermeté, ces corps maternels flamboyants de vie. Et tant que j'ai pu, je me suis approchée de ce qui n'a de cesse de briller dans le plus obscur des ciels.

Parce qu'elle était la Mère et j'étais sa fille.

Et de ce sang identique qui coulait dans nos veines, je pensais que l'amour, l'unique, le grand, le seul amour qui vaille, l'amour de ceux grâce à qui nous respirons, l'amour de ceux à cause de qui nous souffrons, l'amour des siens, tôt ou tard, viendrait. En dépit des disputes, des insultes, des bagarres, malgré les absences, les tromperies, les mensonges. J'ai espéré que la Mère finisse par me prendre contre elle, par m'embrasser, par m'inviter dans son lit. J'ai rêvé que la Mère et moi, dans ce lit, dans ces draps, fêtions nos retrouvailles, en riant, en pleurant, et que nous fassions le pacte – toutes ces années passées loin l'une de l'autre, à nous fuir, à nous chercher, à nous attendre –, ce pacte de ne plus jamais nous quitter. Et j'ai voulu, la pulpe de mes doigts caressant le creux de la paume de sa main, que nous demeurions ainsi, couchées à plat ventre, le visage de l'une tourné vers le visage de l'autre, yeux dans les yeux, souffle contre souffle, émues et tremblantes, soulagées, aussi, de nous être enfin trouvées. De vivre, surtout, cette intimité charnelle. De nous y perdre, follement, furieusement, sauvagement. Et de ne plus désirer que cela, cette confusion des générations à travers la confusion des corps.

J'ai été dans l'illusion de croire que ni l'âge ni la parenté ne comptent. Que cette attraction que j'éprouvais pour les lèvres, le ventre, les jambes de la Mère, était réciproque et suffirait à faire de nous un couple. Au-delà des conventions, des contraintes, des traditions, un couple libre, éternel. Mais elle, elle

103

et sa volonté, elle et son entêtement, elle et son acharnement, des heures durant, dans la grande salle commune ou sur la terrasse, entourée des femmes ou seule, ne parlait que de lui et je voyais, soudain, ses yeux s'illuminer, je sentais son cœur s'ouvrir, ses mains se serrer. Jamais il n'y eut pour moi un tel déploiement de sentiments. De tremblements. De pleurs. De plaintes.

Le manque du corps du Père. Le corps contraire, le corps opposé, le corps différent. Le corps que la Mère disait irremplaçable, j'ai voulu jusqu'au dernier instant de notre vie commune, le remplacer.

Je la revois encore assise, à la nuit tombée, sur le rebord du matelas, jambes croisées, dos courbé, tête baissée vers l'avant, les paupières lourdes, brossant patiemment ses cheveux à l'aide d'un peigne en plastique blanc, silencieuse, et moi, à cet instant précis où les dents du peigne frôlaient le sommet de son crâne avant de s'enfoncer dans l'épaisse chevelure, je disais – sans être certaine que la Mère m'écoute –, une main posée sur mon sexe, je disais : je suis aussi forte qu'un garçon, bientôt plus forte qu'un homme. Tu verras. La Mère pourtant, cette fois-là comme tant d'autres, n'a pas réagi et durant les jours qui ont suivi, elle a continué, telle une petite fille qui réclame, à ne réclamer que lui. Lui et sa voix, lui et ses larges épaules, lui et son torse, à croire que le corps de l'offenseur, le corps de l'assaillant, le corps du mari, malgré les châtiments qu'il inflige, demeure désirable.

J'ai vu la Mère n'être qu'une femme avec une enfant. Elle pleurait et je séchais ses larmes en répétant : bientôt, il reviendra. En disant ça, en disant *il*, du bout des lèvres, j'ignorais de qui je parlais mais peu à peu, je me suis mise, moi aussi, à parler de lui. À l'appeler, dans mes rêves, sans connaître son nom, à le décrire sans l'avoir jamais vu, à l'aimer sans que lui ne m'aime. Des années durant, j'ai vécu avec, à mes côtés, cet homme qui n'était pas un Père, pas même un ami. Une ombre, simplement, qui rôdait dans la maison, assombrissant certains jours, en éclairant d'autres.

Une ombre, surtout, qui avait fait de notre quotidien une succession d'instants suspendus. On se demandait : et s'il nous avait oubliées ? Et s'il ne revenait jamais ? La peur s'emparait de mon corps, nouait mon ventre et ma gorge. La peur me divisait. Et c'était vouloir mourir et c'était vouloir vivre.

Le temps passant, jambes et bras se sont allongés. La peau s'est épaissie. Les traits du visage se sont affirmés. Les cheveux ont poussé. Les hanches se sont élargies. Les seins se sont formés, le sang a coulé et le sexe a noirci.

Le temps a transformé ce que j'étais. Et j'ai vu. La peur, la fragilité, le désarroi. La mort surgir – le couteau dans la nuit – et écorcher, lacérer, séparer, mon corps de cet autre corps qui l'avait si longtemps porté. Et il faut l'avoir ce courage de quitter le ventre éternel des mères dans lequel ils sont encore si nombreux, hommes et femmes, jeunes et vieux, à se retourner, à errer, à étouffer, dans l'exiguïté, dans le noir, dans le silence, effrayés à l'idée de sortir – comme on dit : *sortir* du ventre de sa mère. Pétrifiés surtout à l'idée de devoir faire seuls l'expérience du monde. Je veux dire oser ouvrir les yeux – mais les ouvrir vraiment – et ressentir, au plus profond de soi-même, sans pouvoir s'y soustraire, la misère qui rôde dans toute la ville, les plaintes lancinantes des fantômes lassés de hanter les vivants, la tristesse d'être qui on est, ni exceptionnel ni ordinaire. Puis finir par mesurer, une fois loin des foyers et des cocons chaleureux, quand il n'y a plus alors de pays où rentrer, uniquement des chambres où faire les cent pas et des fenêtres desquelles se jeter, en nous et autour de nous, l'étendue du manque d'amour.

Ce courage-là, le courage de faire le compte des mots, des caresses, des baisers qu'on attend, parfois toute une vie, et qui ne viennent pas, je l'ai eu. Je l'ai eu et à la première occasion que m'a offerte la vie – je veux parler de la mort de la Mère – je me suis enfuie.

Et, sur le chemin, c'était ressentir, à mesure que je foulais le sol, son image de Père absent se préciser en moi. Yeux fermés, je devinais tout de lui. La couleur des cheveux, la saillie des joues, la finesse du menton. Puis l'odeur. Longtemps, je me suis demandé quelle était l'odeur des Pères et si, un jour, ma peau de fille en serait imprégnée.

Il nous rendait visite, certains matins de temps clair, déposait sur la table de la cuisine quelques provisions emballées dans du papier journal, échangeait avec nous à peine quelques paroles, quelques regards, et repartait aussitôt. De ces passages furtifs – il faudrait dire : irréels – ne demeurait au fond que ça. Des sachets, des paquets, et, dans l'air, épaisse et tenace, cette odeur de vieux tabac froid que je respirais à pleins poumons, adossée au mur, immobile, cou tendu, mains tremblantes, inquiète que le vent frais pénétrant les pièces de la maison ne fasse disparaître l'unique trace du Père.

Si volatile, illusoire.

Mais autant que j'ai pu, de toutes mes forces, je m'y suis raccrochée – comme à la paroi d'une falaise ; sous mes pieds tout ce vide – pour ne pas tomber, sombrer dans la détestation de ces femmes qui, jusqu'à mes dix-sept ans, ont fait peser sur mes épaules le poids de leurs malheurs. Ce fardeau de la tradition qui les avait *clouées* au lit conjugal, bras et cuisses écartées, sacrifiées qu'elles étaient, par fidélité, par honneur, par devoir, n'osant pas se lever et se rebeller.

On les avait, ces femmes, dressées pour et quand est venu mon tour de choisir quel chemin prendre, il y eut, d'abord, ce besoin viscéral de me dresser contre. Contre elles et leur docilité de petites chiennes effrayées par l'ombre du maître quand moi, moi ma vie, moi mon destin, c'était, ce maître, l'approcher, le sentir, le toucher et, yeux dans yeux, malgré le souffle court et le soulèvement vif du cœur dans la poitrine, lui murmurer à l'oreille : vois comme je n'ai pas peur de toi. Vois comme je te comprends. Vois comme je t'aime.

Cet homme à qui dire ces mots, avec qui faire cette expérience, vers qui aller, pour qui me lever le matin et me coucher le soir, je l'ai longtemps recherché dans l'obscurité d'une maison dont il aurait dû être, à mon sens, le seul véritable habitant. La part masculine qu'il manquait à mon être et à la conquête de laquelle je suis partie, à mains nues, avec sur le dos une simple robe au col piqué de perles blanches. Sans demande précise à formuler, ni requête particulière à soumettre, ni même héritage à réclamer. Seulement mon âme à nourrir comme seuls les parents savent nourrir leur enfant.

XI

*Environ trois mois après, on vint dire
à Juda : Tamar, ta belle-fille, s'est pros-
tituée, et même la voilà enceinte à la suite
de sa prostitution. Et Juda dit : Faites-la
sortir, et qu'elle soit brûlée.*

Genèse, xxxviii, 24.

(Carnet intime de la vieille gouvernante découvert dans le tiroir de sa table de chevet :)

"À l'instant même où j'ai vu, par la fenêtre de la cuisine, la jeune fille s'approcher de la maison, le pas hésitant, les yeux écarquillés, j'ai senti la terre trembler sous mes pieds. Durant de longues minutes, je suis demeurée figée, une main posée sur le dossier de la chaise, stupéfaite par la pureté des traits de son visage, la minceur de son corps et cette peau diaphane. Si je n'avais pas conscience du temps qui a passé, le temps qui m'a pris mon mari, le temps qui m'a flétrie, et laissée seule ici, dans cette immense bâtisse où jadis ma mère et ma grand-mère ont elles-mêmes servi, j'aurais pu croire que c'était *elle*.

Puis la jeune fille a frappé à la porte – trois coups secs – et j'ai alors demandé à la petite nouvelle de se dépêcher d'aller lui ouvrir. Tapie dans l'ombre de la grande armoire, j'ai observé chacun de ses gestes, prêté attentivement l'oreille à chacune de ses paroles et j'ai perçu, avec un étonnement mêlé à une joie profonde, cette voix ni trop haute ni trop basse, d'une infinie douceur, qui m'a rappelé, une fois encore et non sans émotion, la voix d'une autre

111

jeune fille à la chevelure très longue et très claire. Une jeune fille qui, elle aussi, à cet âge-là, l'âge de l'adolescence, était entrée dans cette maison avec une certaine appréhension, les bras ballants, les jambes chancelantes, mais dans le regard une force désarmante qui m'avait fait dire, à l'époque, que la femme qu'elle deviendrait, bientôt, n'aurait plus sa place ici.

Ici où, hier comme aujourd'hui, règnent jalousie et hypocrisie.

À la nuit tombée, une fois le sol de la cuisine lavé, la vaisselle faite et séchée, la salle à manger rangée, je monte dans ma chambre, m'installe dans mon lit, et à travers les fines cloisons des murs, me parviennent alors les bavardages des femmes regroupées dans le grand salon bleu. Jusque tard dans la nuit, je les entends qui rapportent aux unes et aux autres les rumeurs qui courent dans la ville. Je les entends s'en réjouir. S'en amuser. Et se mettre, soudain, à en colporter de nouvelles. Elles mentent délibérément sur le compte de telle ou telle voisine mais peu leur importe. Médire, quelque part, les *excite*. Les tire de leur routine de femmes entretenues.

Et quand, il y a maintenant plus de quinze ans, ces mêmes femmes ont vu surgir dans leur vie une jeune fille lumineuse qui venait d'être demandée en mariage, je me souviens que ce monde – leur monde domestique et clos – a été bouleversé.

Sans le savoir, le prétendant, de fraîche date veuf, a fait entrer dans la demeure familiale – il faudrait dire : dans la cage aux fauves – ce qu'elles ont toutes, et très rapidement, considéré être une rivale. La sœur cadette du prétendant, fortement blessée dans son orgueil, a été la première à attaquer. Je l'entends encore lancer, au détour d'une conversation, d'un ton méprisant : mais avez-vous seulement prêté attention à sa peau brûlée par ces heures de travail au soleil? Ou encore : sa maigreur n'est que le signe flagrant de son infécondité. Et la jeune fille, passant par là, a surpris ces messes basses et n'est pourtant jamais entrée dans le jeu mesquin de sa belle-sœur. Elle s'est tenue, autant qu'elle a pu, à distance d'elle comme des autres femmes.

Mais un jour, tandis que j'étendais des vêtements humides sur la corde à linge du jardin, des cris ont retenti qui m'ont fait sursauter. J'ai laissé tomber au sol la chemise que je tenais entre les mains, et en toute hâte j'ai rejoint la maison. Les cousins, les cousines, les oncles, les tantes, les frères et les sœurs, tous se tenaient debout dans le salon, encerclant la jeune fille et exigeant d'elle qu'elle retire et rende les bracelets, les colliers et la bague qui lui avaient été offerts au lendemain de sa nuit de noces.

Et toute la vie, dans ma tête, je l'entendrai hurler, émouvante dans sa terrible détresse, une main posée sur son ventre : je veux voir mon mari. Je ne parlerai qu'à mon mari.

Le mari, à qui dans l'enfance il m'était arrivé de donner le sein quand sa propre mère était absente, parfois malade, n'a, quant à lui, fait son apparition que tard dans la soirée, ivre et défait, accompagné de son fils unique, né d'un premier lit. Durant de longues heures, agenouillé devant son père, ce dernier n'a eu de cesse de lui baiser la main et de poser sa joue contre son genou, essayant par tous les moyens de l'attendrir ou du moins de le convaincre. Il répétait : tu dois me croire père, c'est la vérité.

La jeune mariée, du jour au lendemain, a disparu et je n'ai plus jamais pu avoir de ses nouvelles.

Quelques jours plus tard, à l'aube, les femmes de la maison m'ont tiré de mon sommeil en jetant au pied de mon lit, rassemblées en boule, les affaires de la jeune mariée. En repartant, la belle-sœur m'a dit : tu te chargeras de tout brûler avant mon retour.

Ce que cela m'a coûté d'effort de me baisser et de ramasser toutes ces jupes, ces vestes, ces robes de nuit, ces soutiens-gorges, ces sacs à main, ce carnet de notes, puis de les mettre dans ce grand sachet de plastique noir comme s'il ne s'agissait que de vulgaires ordures alors qu'à travers chaque vêtement, chaque objet, je sentais la présence vivante de leur ancienne propriétaire. Et, sur le chemin qui me menait vers le terrain vague de la ville, il y a eu cette voix intérieure : c'est elle, je me répétais, c'est elle que tu t'apprêtes à brûler.

Mais je ne me suis pas arrêtée de marcher.

Puis, quand est arrivé le moment de vider le sac à terre, dans un trou étroit creusé à cet effet, et d'y déverser quelques gouttes d'essence, je me suis soudainement revue, au matin, servir à cette jeune fille aux yeux encore gonflés de sommeil un grand bol de lait chaud accompagné d'un peu de miel. Et c'était, d'un coup, avec cette image d'elle, au réveil, qui saisit ma main et m'avoue que je lui fais penser à sa mère, ne plus pouvoir obéir aux ordres que l'on m'avait donnés. Alors, le sachet de plastique serré entre mes bras, j'ai fait demi-tour et je suis aussitôt rentrée à la maison.

Le sachet, d'ailleurs, est toujours là, dans le grenier, derrière les lourds rideaux."

Délicatement, je referme le carnet et le dépose sur la petite commode de bois blanc. Le dos légèrement voûté, les mains jointes, je ne me sens plus capable du moindre mouvement. Le corps est lourd, pénible à supporter, d'un volume à peine suffisant pour contenir cette tristesse qui vient. Tout juste parviens-je à tourner la tête sur le côté et à fixer longtemps, sans véritablement y porter attention, le défilement rapide et régulier des voitures sur la route et plus loin, à l'arrière-plan, le va-et-vient des passants le long des trottoirs.

Ce que je respire dans cette chambre que n'éclaire plus que l'enseigne jaune et rouge du bar-tabac, les quelques stries de lumière sur le mur et les ombres projetées, c'est l'odeur acide de la Mère quand la fièvre la prenait et que les femmes disposaient sur son front des rondelles de citron avant d'enserrer son crâne dans un large foulard aux motifs imprimés. Cette odeur qui remonte chaque fois que je me vois dans un miroir, et que le temps d'une seconde, ce sont d'abord les traits de la Mère que je devine à travers le creusé de mes joues, l'arrondi de mon nez. Et mes yeux. Mes yeux finissent toujours par disparaître derrière les siens. Tout ce doute qui m'envahit quand sourire c'est encore sourire comme elle.

Lève-toi, je me répète et aère donc un peu cette chambre!

L'heure si tardive qu'il doit être tandis que je continue de fixer mon image dans ce grand miroir en pied. L'image fondue au noir et la bande-son des râles de la Mère pour seul souvenir.

Mais la fièvre ne retombe pas.

Le pouls battant, tous doigts écartés, je laisse ma main parcourir ma peau et ressens, sur ma peau, la moiteur de la peau de la Mère. Moi qui l'ai si long-temps portée à bout de bras, partageant sa souffrance d'être privée de lui et, à travers lui, de sa vie d'épouse, je comprends maintenant à quel point agir ainsi – comme si j'étais la mère de la Mère – c'était, dans ma poitrine, remplacer mon cœur par le sien, emplir mes poumons de l'air qu'elle respirait et, durant toutes ces années, vivre sous anesthésie, insensible à ce que je touchais, à ce que j'entendais, à ce que je voyais. La ville aux contours gondolés par les larmes qui montaient puis coulaient le long des joues. Les miennes ou les siennes, comment savoir ? Car, en vérité, je n'ai connu de la Mère que ce que la tribu a fait d'elle.

On frappe à la porte.

Sans faire de bruit, je referme la fenêtre, rattache mes cheveux et m'apprête à ouvrir. Je tire le loquet et me recule quelque peu. Le couloir est plongé dans une profonde obscurité, et à travers l'entrebâillement un visage d'homme m'apparaît, en grande partie voilé par une ombre épaisse. Doucement, l'homme s'approche. Il pose sa main sur la poignée et place aussitôt son pied droit contre le panneau de la porte.

Je tremble à l'idée d'imaginer que cette silhouette est peut-être celle du Père. Le Père auquel la tante aurait enfin pris soin d'annoncer ma venue. Et il n'a sûrement pas pu patienter jusqu'au lendemain matin pour me rencontrer. Il a dû quitter son lit en toute hâte, enfiler une simple chemise blanche, un vieux pantalon puis se dépêcher de monter à l'étage et le voilà, en pleine nuit, comme tout Père le ferait pour sa fille, qui est venu me chercher.

Flotte dans l'air une forte odeur de tabac.

Et je fixe la main cramponnée à la poignée de la porte avec cette envie de renifler, de vérifier que l'odeur est toujours là, coincée au creux de la main du Père.

Et la voix dit : je voudrais entrer.

À l'instant où j'entends cette voix, vous savez, je suis comme foudroyée.

Ne te jette pas dans ses bras, je me dis, pas tout de suite, attends encore, aussi longtemps que tu pourras, attends qu'il marche vers toi, attends sa main sur ton épaule et son souffle contre ta nuque, attends qu'il prononce le premier mot, qu'il pose la première question, attends qu'il te demande pardon. Et j'attends, immobile, une main serrant un morceau de ma robe, et je sens sa présence si forte, ses yeux qui détaillent ma natte à moitié défaite, mon gilet râpé, mes bas filés au niveau des chevilles et j'imagine qu'il pense ça, qu'il pense : voilà ce qu'est ma fille, mal coiffée, mal habillée.

Je suis soudain envahie par la honte.

Où je suis. Ce que je suis censée faire face à cette porte entrouverte. Ce que j'attends. Qui sûrement ne viendra jamais. En vérité, je ne sais plus. Je baisse le regard et recule. Il appuie alors sur l'interrupteur, entre et se fige au centre de la pièce.

Et la voix dit : je viens à la rencontre de ma demi-sœur.

XII

Car cet amour des choses de la chair est
ennemi de Dieu, parce qu'il n'est point
soumis à la loi de Dieu, et ne le peut être.

Épître aux Romains, VIII, 7.

Il a le sommet du crâne dégarni. Le front bombé, des arcades sourcilières osseuses et particulièrement proéminentes sous lesquelles s'enfoncent des yeux marron. Des yeux que je fixe longuement et qui expriment, à leur manière de se déporter sur la gauche puis sur la droite, sans s'attarder nulle part, sans rien affronter, une certaine forme de malignité. Le nez est court, la lèvre supérieure épaisse, l'ovale du visage légèrement affaissé et, jusqu'à la moitié du cou, court une barbe de plusieurs jours qui donne au demi-frère – puisque c'est ainsi qu'il faut maintenant l'appeler – un air négligé. Les clavicules sont saillantes. L'ouverture de la chemise laisse apparaître les premières côtes de la cage thoracique. Le corps, dans son ensemble, est sec. Le demi-frère et moi partageons ce fait de n'avoir sur les os que la peau.

Et je crois que tout s'arrête là.

Car il n'a ni mon vécu ni la mémoire douloureuse qui l'accompagne et quand tombe la nuit, pour lui, c'est le sommeil qui vient tandis que m'attendent, postés comme des gardes, d'innombrables fantômes dont j'ai une connaissance intime.

Il faudra que je fasse, un jour, le compte de ces hommes et de ces femmes qui habitent mon corps.

C'est comme être possédée. J'allais dire : occupée par. Occupée à tout sauf à soi. Des années entières à satisfaire les besoins des uns et des autres. Je conseille, je console, je nourris. On me prend, on m'arrache, on me vole à moi-même. Je n'existe qu'au travers de la division. Au gré des abandons perpétuels.

Le jour où la Mère est morte, je n'ai poussé aucun cri. Versé aucune larme. Car très tôt – j'ignore précisément depuis quand – j'ai su qu'entre elle et moi il était déjà trop tard. Que tout était déjà fini. Je me revois agenouillée près du corps de la Mère. C'était le corps d'une reine dont je n'égalerai jamais la beauté. Je me revois aussi, vers la fin, désespérée par ce corps. Vivante, la Mère était en quelque sorte morte. Je voudrais maintenant croire que morte, elle demeure en quelque sorte vivante.

Et me tenir ainsi face au demi-frère, l'esprit assailli par l'image d'une porte qui s'ouvre, et de ce linceul blanc que me tend une femme, le cerveau rongé par la vision de cette terre que je remue et fouille jusqu'à penser que je pourrais, moi aussi, tout entière y être ensevelie, le cœur lourd de me sentir, chez mon père, ne pas être chez moi mais en terre ennemie, c'est lui dire, à ce demi-frère, qui ne pose le regard sur moi qu'à l'instant où je détourne les yeux sur le côté, oui, c'est lui affirmer : voilà où je suis. Voilà qui je suis. Voilà d'où je parle. D'un lieu inhabité et peuplé à la fois, traversé par des êtres errants. Des êtres dont il n'a certainement jamais croisé le chemin, dont il ne soupçonne peut-être pas l'existence tant sa vie est ailleurs. Tant, au fond, il lui a toujours suffi d'être le fils de celui qui est son père quand moi. Quand moi, au contraire, il m'a fallu, enfant, apprendre à ne plus l'être et devenir mon propre parent.

Soudain, je me suis avancée près du demi-frère avec cette colère dans le ventre – les lattes du parquet ont effroyablement grincé – et j'ai lancé, d'une voix forte : *ils* n'ont pas voulu me conduire jusqu'à lui.

Un long moment, le demi-frère est resté silencieux puis, très calmement, a pivoté sur lui-même, s'est rapproché de la porte, a posé la main sur la poignée et, avant de sortir, a répliqué, un léger sourire sur les lèvres : si tu veux, moi, je te la montre, la porte de la chambre de notre Père.

Le demi-frère a quitté la chambre, et à travers le couloir du second étage de la maison, je le suis désormais à pas mesurés. Il s'arrête devant une grande porte de bois au cadran sculpté. J'aperçois alors sa main quitter la poche de son pantalon et toquer plusieurs fois de suite. Le demi-frère attend, tête baissée. Soudain, il ouvre la porte et, un pied après l'autre, franchit le seuil.

Le cœur. Mon cœur qui.

Je demeure statufiée sur le pas de la porte. J'ai les bras le long du corps. Je feins d'être calme, si calme. Du regard, je détaille la chambre. J'aperçois de hauts murs blancs, un épais rideau de toile grise, une grande armoire vernie, des vases en porcelaine, des portraits, un épais tapis. D'un coup, le Père tousse fortement, et durant une fraction de seconde mes yeux se posent sur lui puis se referment immédiatement.

Le cœur.

Assis côte à côte sur le rebord du lit, pareillement vêtus d'une large chemise blanche, d'un gilet marron, usé au niveau des épaules et des coudes, d'un pantalon de velours noir et aux pieds des mocassins à semelle de crêpe, le Père semble être le frère du fils. Comme si, dans cette maison, nous étions tous, tôt ou tard, destinés à nous confondre les uns avec les autres. Et longtemps, moi. Moi, tête baissée, bouche sèche, gorge nouée, bras croisés, tremblante, je cherche ma place entre ces deux hommes.

Le demi-frère lève alors les yeux vers moi et d'une voix fière, me lance : viens t'asseoir près de notre Père.

À cet instant-ci, dans la chambre du Père, la voix, la voix du demi-frère, par sa violence, brise *quelque chose.* Et je voudrais dire quoi mais il n'est pas sûr que je sache. Pourtant, tout s'effondre sur moi. Les tableaux, les miroirs, les armoires, les lustres de verre, les murs, la terrasse, le toit. Tout. Et tout s'effondre en moi. Mes genoux fléchissent. Je courbe le dos et baisse encore davantage la tête. Je n'aperçois plus que mes doigts qui s'enlacent, le bout de mes doigts où le cœur, mon cœur, s'est comme déplacé pour battre.

Le demi-frère commence à montrer des signes d'impatience : qu'attends-tu donc pour venir t'asseoir près de notre Père ?

Toujours la même voix. La voix de l'agression. Je demeure silencieuse, immobile, émue aussi. Pétrifiée de peur mais aussi et peut-être d'abord émue. Prise à la gorge. Mes yeux sont submergés par les larmes. Mes yeux qui, dès l'instant où ils revoient le Père pour la seconde fois, ne veulent plus voir que lui. Et sa main. Sa main que j'aperçois, posée à plat sur son genou. Pâle, sèche, la peau plissée, les phalanges rougies et les ongles parfaitement coupés à ras, très propres. Comme dans mon souvenir.

Et puis, d'un mouvement brusque, le demi-frère se lève.

Il demeure un instant figé à quelques pas du lit du Père, serrant contre sa poitrine un livre de prière à la couverture noire, cou rentré dans les épaules, regard fuyant. Je me tiens contre le chambranle, interdite. Puis le demi-frère se penche vers le Père, l'embrasse et se redresse. Il s'avance alors vers la porte, le front bas et, passant près de moi, le dos de sa main frôle ma hanche. Un profond sentiment de révulsion me saisit, aggravé par ce léger sourire en coin qu'arbore le demi-frère et qui trahit sa satisfaction de m'avoir touchée.

Il est parti.

Mais un malaise demeure. Il faudrait dire : la honte d'avoir été touchée par lui. Il est passé si près de moi, comme pour m'intimider, et bien qu'il ne soit plus là quelque chose de lui, étrangement, demeure dans la chambre du Père. Une pesanteur, un cynisme. En repartant, je l'imagine qui s'est dit : elle a aimé ça, ce geste, ces prémisses de l'enlacement. Ou encore : elle aime qu'on lui fasse ça sans lui demander son avis. Et durant de longues minutes, alors que je suis debout, face au Père qui me sourit timidement, j'entends le demi-frère me dire : sache que je t'attends.

Et malgré sa sale odeur que je sens rôder autour de moi, malgré ma peau qui me démange, malgré, aussi, ce besoin pressant de me laver, de sentir l'eau chaude couler sur mes seins, sur mon ventre, couler des heures durant sur mes hanches, pas une seconde, je ne perds de vue le visage du Père assis sur le rebord du lit. D'un pas peu assuré, je m'approche de lui, ivre de peur, ivre de désir, effrayée à l'idée de commettre la moindre faute. Et au moment de plier les genoux, de courber le dos, de m'asseoir aux côtés du Père, je prends conscience de cette scène que nous vivons, une scène à nulle autre pareille, une scène d'une force. D'une beauté.

D'un grand désespoir.

Son épaule contre la mienne, regardant droit devant lui, après un profond silence dont je crois qu'il ne va jamais sortir, si tu savais, murmure-t-il, si tu savais depuis combien de temps je prie pour que toi et moi soyons réunis.

Le Père passe sa langue sur ses lèvres et je suis attentive à chaque détail de son visage. Le front est plissé, les joues sont creusées, la mâchoire est très large, le cou très fin, les clavicules à peine visibles. Puis m'apparaît, cramponnée au drap, la main du Père. La main que je saisis, que j'entoure des deux miennes. La main que je porte à ma bouche et embrasse.

Cette nuit-là, j'aime à croire que, pour moi, pour toujours, c'en est fini du malheur.

Et dans cette chambre aux murs blanchis à la chaux, une chambre où règne une odeur d'eau de rose et de renfermé, où traînent, éparpillés à même le sol des chapelets de perles blanches, un gant de toilette, quelques vêtements, j'entends distinctement le tapotement de la pluie contre les carreaux de la fenêtre ainsi que le souffle du vent et, à sentir le pouls du Père battre contre ma paume, me vient à l'esprit cette pensée que maintenant, pour renaître, il y a cette chair, il y a ce sang, il y a le corps du Père.

Tu crois que je pourrais dormir dans ta chambre? je demande au Père.

Comme le Père ne me répond pas, je laisse ma voix s'enrayer et disparaître dans un éclat de rire un peu forcé, tout en passant la main dans mes cheveux, regard baissé vers le sol, lèvres pincées, gênée de ce silence qui dure. Je porte mes doigts à ma bouche et mordille la pulpe des doigts en continuant à rire mais plus doucement cette fois-ci. Je sens les muscles de mon corps se tendre. Mes jambes deviennent très lourdes. Elles s'engourdissent. Pourtant, je n'ai de cesse de rire. Je ris sans le vouloir, les mains triturant un coin de la couverture fleurie du lit du Père. Que c'est drôle toutes ces fleurs, je lance à haute voix.

Mais dans cette chambre, je suis comme brusquement seule tandis que le bruit de la pluie qui tombe dru se fait de plus en plus fort.

C'est alors que j'ai perçu, faible et lent, le souffle de sa respiration. Le Père est *revenu* à lui-même. Je me suis redressée et j'ai rangé les mèches de mes cheveux derrière les oreilles. Me suis légèrement tournée vers lui en souriant.

D'une voix timide, il me confie être heureux de me voir porter la même robe blanche aux manches brodées de dentelle que le soir de notre mariage, dans la grande salle des fêtes où les tantes, les oncles, les cousins et les cousines s'étaient réunis, sous les lumières orangées des lanternes, dans la chaleur écrasante de ce mois d'août qui finissait, je portais déjà.

Pardonne-moi, dit le Père, il m'a manqué la force, le courage de leur résister, pardonne-moi.

Sa main caresse l'intérieur de ma cuisse. Son visage est noyé de larmes. Sa respiration est haletante. Pardonne-moi de t'avoir conduite là-bas, répète-t-il. Mon fils disait que la rumeur s'étendait à toute la ville et qu'il me fallait agir au plus vite.

À cet instant, le ciel me tombe sur la tête. Ou peut-être est-ce moi qui tombe. Une chute infinie et pendant tout ce temps où le Père me parle – tu n'as pas vieilli, tu ne vieilliras jamais, il dit – à chacun des mots qu'il prononce, mesurant sa tristesse, sa si grande confusion, moi je n'en finis pas de m'enfoncer, de couler, entraînée par le poids de l'attente. Dans un éternel recommencement, je m'écrase à plat ventre sur le sol, tête la première. J'entends le craquement de la nuque qui se rompt, les os qui se brisent un par un, les vertèbres fracturées, les jambes et les bras broyés. J'ai les nerfs sectionnés. Le cœur comme soufflé par l'onde de choc.

Je crois mourir.

XIII

Donne-moi ma femme. Mon temps est accompli!

Genèse, xxix, 21.

Il faudrait savoir dire où. Dire quel endroit souffre.

Et à de nombreuses reprises, je pense à l'interrompre, à lui dire qu'il se trompe. Je ne suis pas la Mère. Mais voyant son corps frémir, sa main droite posée sur sa poitrine, d'un coup, je crains de le blesser, alors, je décide de me taire. Et c'est en moi alors que tout meurt. Toutes ces promesses, ces croyances, ces mensonges. Cette idée selon laquelle quelque chose de plus grand que nous existe.

Il a enfin arrêté de pleuvoir et, déjà, remonte des rues une odeur d'humidité qui pénètre la chambre du Père par la fenêtre entrouverte. Peu à peu, je sens ses doigts chercher les miens, son buste se tourner de trois quarts, ses lèvres désireuses de laisser s'échapper des mots, des mots, toujours plus de mots, l'histoire qu'il voudrait raconter quand, à nouveau, je suis saisie de cette envie de lui dire : arrête, tu te trompes, regarde-moi, c'est moi, c'est ta fille. Et je m'approche de lui. Il y a, entre nous, un furtif échange de regards. Son corps lance des appels au secours auxquels je réponds par une multitude de baisers que je dépose sur le front du Père.

Je suis assise sur le rebord du lit du Père. Lui contre moi, recroquevillé, silencieux, frêle dans sa chemise blanche, ses pieds à quelques centimètres du sol, flottant au-dessus de ses mocassins, les doigts cramponnés au tissu de ma robe, gémissant par moments, épuisé, le corps relâché.

C'est l'aube, je crois. Sa lumière aveuglante. Et il y a ce reflet. Au fond de la chambre, sur le miroir en pied, notre reflet à tous deux. Je balbutie, livide sous le maquillage et le noir des yeux qui a coulé.

Maintenant, il faut te reposer, je murmure à l'oreille de mon père. Bientôt, je reviendrai te voir.

Le Père, avec lenteur, s'est allongé sur son lit. J'ai placé sous sa tête un coussin. De l'armoire, j'ai tiré un drap et des couvertures propres avec lesquels je l'ai recouvert soigneusement et comme il me l'a demandé, je lui ai tendu son chapelet de perles blanches. J'ai caressé sa joue et sans faire de bruit, j'ai marché vers la porte, ai saisi la poignée, l'ai tirée, puis je suis partie.

Mais d'où ? De cette chambre ? D'un rêve ? D'un cauchemar ?

Figée sur une marche d'escaliers, dans le noir, durant de longues minutes, j'ai ce sentiment d'être encore dans la chambre à coucher du Père, d'entendre le souffle de sa respiration, de percevoir chaque battement de son cœur, de sentir son odeur sur mes vêtements, son regard rivé sur la robe blanche brodée de dentelle, de revivre, en boucle, cette expérience qui est de mourir et de revenir d'entre les morts.

Je t'attendais, dit-il à voix basse.

Laisse-moi passer, je suis fatiguée. Allez, laisse-moi !

Et voilà le demi-frère qui, de son bras tendu, me barre le chemin. Ses yeux s'insinuent en moi et cherchent à tout savoir de mes cheveux, de mon visage, de mon cou, de mes seins, de mon ventre, de mes hanches. Puis ses yeux se fixent plus haut que les hanches, à l'endroit du sexe.

Je t'en supplie, je répète en me débattant, laisse-moi.

Me maintenant plaquée au mur, le demi-frère se serre contre moi et se frotte contre ma jambe. Sa tête est enfouie au creux de mon cou. Il renifle mes cheveux, ma nuque. Il lèche mon oreille, ma joue, ma bouche. Je sens son torse s'appuyer contre ma poitrine et pousser. Pousser si fort que ma gorge est écrasée par sa propre gorge. Ses mains, d'un coup, se saisissent de mes cuisses et les écartent. Dans la panique, je descends d'une marche avec l'espoir de pouvoir lui échapper. Je suis dos au mur. Je n'ai plus nulle part où reculer. Son ombre s'abat sur mon corps. Mon corps qui, sous son ombre, n'est plus un corps. Ou alors plus le mien.

Arrête, s'il te plaît, arrête!

Le demi-frère guette chacun de mes gestes, attentif au soulèvement de ma poitrine, au clignement de mes yeux, au moindre de mes souffles. La faim, peu à peu, déforme son visage. Ses joues se creusent. Sa bouche s'ouvre, prête à me dévorer. J'entends les aboiements des chiens qui accourent de partout. De derrière le brouillard. Du monde sauvage. Et les doigts qu'il pose sur mon épaule sont ce piège que je sens se refermer sur moi. Une cage aux barreaux épais. Je me cogne la tête et les genoux contre ces barreaux. Le bâillon que sont ses lèvres sur mes lèvres. J'ignore qui de l'un mord l'autre. J'étouffe sous le poids, sous la pression de ses reins. Ma peau ne lui suffit plus. Il dit vouloir aller au-delà de la peau ou en deçà. Il veut, je ne sais pas, aller *à l'intérieur*.

Je hurle : si tu es un homme fais-le, baisse ton pantalon !

Le demi-frère, brutalement, me relâche.

Autour de nous, encore, l'attente. Le silence. Ma peur est immense. Et retentit, brisée, sa voix : tu as la beauté et l'insolence de ta Mère. Il s'éloigne alors de moi mais je n'en demeure pas moins attentive au moindre de ses gestes. Nous sommes l'un en face de l'autre, muets, incapables de nous regarder. Je ne pense qu'à fuir. Lui me guette. Me surveille. Puis, se redresse peu à peu.

Approche-toi, il hurle.

Sous le choc, incapable de me mouvoir, je demeure debout, figée à proximité de la rampe d'escaliers.

Approche-toi, je te dis, et assieds-toi !

Je me traîne alors péniblement vers lui. Mon cœur est sur le point de se détacher de ma poitrine. Mes oreilles bourdonnent et je ne trouve pas la force de garder les yeux ouverts. Je voudrais disparaître, quand retentit, à nouveau, la voix du demi-frère.

"Elle et moi avions le même âge.

Sur cette place du marché, chaque matin, en prenant mon café, entouré de mes amis, de loin, je la voyais venir par le chemin de terre battue qui longeait la grand-route, vêtue d'une robe brune en lin, sans manche, tenue à la taille par un foulard rouge, les chevilles apparentes. Elle portait, sous le bras, une bassine de plastique rose et une large bâche sur laquelle elle s'asseyait, entre le marchand de poissons et le marchand de fruits, pour vendre, jusqu'en début d'après-midi, des petits pois, des fèves, des fleurs aussi.

La nuit, dans mes rêves, je la voyais comme en plein jour et la nuit comme le jour, je sentais monter en moi le désir irrépressible de lui parler mais, à cet âge-là, j'ignorais comment m'adresser à une fille. Et quand je ne parvenais pas à m'apaiser, que les femmes, dehors, s'offraient mais à des tarifs exorbitants, que l'alcool ne m'assommait plus avec la même force qu'auparavant, que même ivre je continuais à ressentir la tristesse d'être seul, alors, l'image de son visage me consolait. À l'instar de l'image de ses yeux qu'elle cernait de noir, l'image de ses longs cheveux clairs qu'elle ramenait sur sa poitrine et sa poitrine qui n'en devenait que plus désirable.

Et moi, j'en étais fou. J'en étais malade."

Je l'écoute parler de la Mère, sans l'interrompre. Et avec quel esprit corrompu, quelle attitude douteuse, les doigts caressant la boucle de la ceinture de son pantalon, il poursuit :

"D'elle se dégageait un tel bonheur. Une telle jouissance. Regarde."

Il remonte les manches de sa chemise et me montre son avant-bras.

"Regarde! Regarde et compte le nombre d'entailles, de cicatrices. Et quand ce n'était pas une lame de rasoir, alors, c'était un débris de verre, un fil métallique, c'était une fourchette, un couteau, un briquet. C'était ma peau, mon sang, ma chair, que je creusais pour apaiser ma peur de ne jamais la posséder. Et le sommeil ne venait pas. Peu à peu, je me suis mis à avoir peur du noir. Tant de voix, au matin, m'assaillaient. Elle est à toi. Prends-la. Prends-la si elle le veut. Prends-la même si elle ne le veut pas, disaient ces voix. Et je sortais dans la rue. Une fois arrivé sur la place du marché, je l'apercevais, jambes nues, assise en tailleur, qui comptait sa monnaie.

Je me souviens que j'étais comme ce chien qui rongeait sa laisse quand, en été, le bruit des claquettes des filles contre le pavé me crevait les tympans. Les unes après les autres, j'aurais voulu les attraper, au coin d'une rue, et leur faire payer ma douleur d'être privé d'amour.

Ces salopes.

Toute cette tendresse après laquelle je courais depuis que ma mère était morte. Une tendresse qu'elle refusait de me donner. Un jour, je ne me suis plus posé de questions. J'ai *foncé*. Mis ma plus belle chemise, ma plus belle veste. Un pantalon neuf, des chaussettes noires. Enfilé les chaussures vernies de mon père. Après avoir garé ma mobylette à l'entrée de la place du marché, contre le muret du cimetière, je me suis adossé à ce long muret et je suis resté là, longtemps, le regard baissé, les joues rouges, à fumer, cigarette sur cigarette, la peur au ventre, le cœur battant dans la poitrine, la bouche pâteuse.

Mes amis qui étaient assis à la terrasse du café ont parlé des cheveux peignés vers l'arrière, des fleurs posées à mes pieds, et de ce sursaut que j'ai eu en la voyant. Ils ont, aussi, remarqué avec quelles jambes fragiles je me suis mis à marcher en sa direction, d'un pas précipité, oubliant les fleurs, retournant les chercher, repartant vers elle, si peu sûr de moi. Et mon regard a croisé le regard de mes amis.

J'avais honte.

Me raclant la gorge plusieurs fois de suite pour me donner du courage, j'ai accéléré le pas avant de me *planter* devant elle. Je voudrais te parler, ai-je lancé d'une voix fébrile, tandis que mon regard cherchait, dans les alentours, un endroit où se fixer. Brusquement, elle a détourné le visage, à croire qu'elle ne souhaitait pas me voir.

Tant de mépris de sa part m'a profondément meurtri.

J'étais un chien, n'est-ce pas? Ce chien à qui on dit : va jouer plus loin? J'aurais pu la mordre, tu entends, la mordre!

Et la place du marché, peu à peu, s'est vidée. Le vent a soufflé dans les cageots en bois laissés à l'abandon sur les trottoirs. Le feuillage des arbres frémissait et à travers ce bruissement, je l'entends aujourd'hui encore qui répète : je suis désolée, je dois m'en aller.

Mais elle mentait. Je le devinais à sa manière de froncer les sourcils, de tourner sur elle-même, de regarder au loin. Elle semblait agacée par ma présence. Et lentement, tandis qu'elle s'était penchée vers l'avant pour nettoyer sa bassine de plastique rose, la robe laissant découvrir la blancheur de ses mollets, je me suis approchée d'elle, inexorablement attiré par son corps et alors se tournant vers moi, elle m'a lancé au visage : je ne parle pas aux voyous.

Puis plus un mot de sa part.

Elle a ramassé ses affaires, elle est partie. Quelques semaines plus tard, mon père l'épousait."

La voix du demi-frère s'est éteinte malgré ce désir qu'il a eu de continuer à parler d'elle. La voix peut-être n'a pas supporté le poids des mots et la voix a vibré. Et la voix a ployé jusqu'à ne pouvoir traduire aucune pensée, aucune image. Il y a ce silence dans lequel nous sommes maintenant. L'un contre l'autre. Et nous nous demandons qui ressortira vivant de ça, de cette torpeur née du choc, qui de lui ou de moi trouvera en son corps la force, ce corps, de le mouvoir pour trouver refuge dans une chambre. Mais quelle chambre? La maison est si grande, je pense. Et c'est m'imaginer faire le premier pas. Et le demi-frère alors me suivrait. Et me rattraperait et saisirait mon bras et nous tomberions à terre, lui sur moi, lui cherchant déjà ce qu'il cherchait depuis le début, à retrouver la Mère et je crierais je ne suis pas ma Mère mais le demi-frère ne m'entendrait pas. D'un coup, il s'assoit sur une marche d'escalier et prend sa tête dans ses mains. Doucement, je me déporte sur le côté de façon à ne plus être face au demi-frère. Face à sa misère. C'est voir les doigts sales, les ongles rongés jusqu'à la chair, les poignets entaillés et sentir la peur à nouveau m'envahir.

Je m'enfuis, poussée par cette peur. Et je cours. Et je cours.

XIV

Cette femme était vêtue de pourpre et d'écarlate ; elle était parée d'or, de pierres précieuses et de perles, et tenait en sa main un vase d'or, plein des abominations et de l'impureté de sa fornication.

Apocalypse, XVII, 4.

Durant un long moment, j'entends le cœur battre à un rythme effréné. Je suis dans cette croyance que bientôt la poitrine explosera. Et le cœur quittera la poitrine mais continuera à battre, comme ça, comme fou, à mes pieds. Je pleure. De peur, de douleur, de honte. De peur, surtout. C'est la peur qu'il revienne, qu'il recommence. Comme on dit : qu'il finisse le travail. Et moi, ce que je ferai, ce que je serai sous le poids lourd de son corps, sous la fougue de ses baisers, ce que je deviendrai sous l'emprise de ses mains sur ma bouche, sur mes seins, de ses mains entre mes jambes, ce que je tairai de cris, combien de cris, et crier quoi, avec quel courage, quelle force, quel espoir, avec quelle voix venue d'où, de si loin mais brisée déjà, et crier pour quoi, pour quelle vie, pour quelle mort et en vérité quelle différence.

Il y a des tremblements. Des milliers de tremblements par seconde. Tremblement de la mâchoire, des épaules, des doigts, des genoux, des pieds. Le corps souffre ainsi, par à-coups, par sursauts répétés. Le corps a froid. Le corps a chaud. Le corps s'égare parmi les sensations. Des impressions de danger. Le corps sait que peut-être rien n'est fini. Réglé. Car rien ne s'arrange en se terrant sous une couverture, enfermée dans une chambre, même à double tour. Le corps craint que le demi-frère possède une clé et que bientôt ça revienne, ça reprenne, tout ça, la violence. La transpiration qui coulera le long de son cou comme déjà elle coulait auparavant. Et mes yeux qui se fermeront sur les gouttes de sueur ne verront rien des mèches de cheveux gras sur le front, du sourire crispé au coin des lèvres, de la langue qui pendra.

Ce sera être dans une forêt profonde, en pleine nuit. Et se dire que bientôt peut-être, il faudra faire face à la bête. Et c'est vouloir fuir et rester. Abandonner et se battre. Dans mon esprit, il y a une lutte qui se joue tandis que les arbres hauts se rapprochent et que le brouillard s'épaissit. Engloutit le lit. Les draps. M'engloutit aussi. C'est un effet de la peur, je crois, ces hallucinations. L'eau trouble qui s'infiltre entre les lattes du parquet, les oiseaux qui volent au-dessus de ma tête et cognent l'ampoule nue, je ne sais pas comment vous dire, tout ça, je le vois, je l'entends. C'est très clair ce qu'il se passe. Je pleure. Je pleure sans pouvoir m'arrêter et par moments, quand la peur grandit et me troue le ventre, je suis prise de folie. Il y a le délire qui est savoir. Trop bien savoir jusqu'où me conduira cette histoire. Jusqu'au bout. Je dirais : au-delà. Du visqueux, du lugubre, du dégueulasse. Au seuil de la misère du demi-frère. C'est ce qu'on veut me faire découvrir. Combien ça souffre dans les derniers étages des grandes et belles maisons. Combien de l'intérieur c'est pauvre. C'est vide. Ça meurt. Ça ne peut que mourir. Ça veut donner la mort, aussi.

Pleurer, ce n'est jamais que la pleurer, elle. L'appeler de toutes mes forces. La vouloir là, maintenant, près de moi, me serrant la main et me répétant : tout ira bien, ne t'inquiète pas, tout ira bien. Ce n'est jamais que me souvenir de la Mère qui ne pleurait pas, au début. Puis qui vers la fin de sa vie n'a su faire que ça. Et moi aussi maintenant je pleure. Le déferlement de la tristesse, comme ça peut, d'un coup, s'abattre sur un visage et sans qu'on ne sache comment, l'attaquer. Il y avait de ça dans le face-à-face avec le frère. La Mère a dû en faire l'expérience. L'expérience de l'acide qu'on vous jette à la gueule, d'un mouvement bref et rapide parce qu'on n'a pas voulu. Parce qu'on a dit : je viens de vous mais je ne suis pas à vous. Parce qu'on ne s'est pas sacrifiée comme les femmes, depuis des millénaires, se sacrifient. Ça se lisait dans son regard, cet étonnement de me voir lui tenir tête. Le demi-frère, peut-être ne sait pas qu'il existe des femmes au cœur viril.

Que je vous dise aussi que malgré le temps qui passe et le silence installé dans cette chambre, la peur demeure. C'est une seconde peau. Et j'inspire et j'expire mais il en est de moi comme des pierres qui jonchent la terre friable des forêts profondes : je voudrais mais je n'arrive à rien. Il y a la pluie et le vacarme stagnant des moustiques. La saison chaude. Sa boue et moi qui m'y enfonce à la recherche de qui, de quoi, de la Mère sûrement quelque part. Et c'est creuser avec la force de dix hommes et être consolée par cette idée que bientôt je serai en lieu sûr.

C'est me mentir et aimer ça.

Retentit soudain, assourdissante, une détonation qui brise le silence de l'aube et fait s'envoler les oiseaux des feuillages des arbres.

Un instant, je demeure figée en travers du lit. Puis, des bruits de pas hâtés, de portes qui claquent, de parquet grinçant, d'objets qui tombent, résonnent.

La maison tout entière tremble. Je quitte le lit, me dirige vers la porte et l'ouvre, très doucement. J'aperçois, regroupées dans le couloir, la mine blême et le corps frémissant, les trois petites servantes dont les yeux emplis de larmes et de terreur fixent avec insistance le sol. Je m'avance à pas lents. La porte de la chambre du demi-frère est ouverte. À l'intérieur de la chambre, la tante, entourée des femmes et des hommes de la famille, se tient agenouillée près du corps du demi-frère étendu à terre. Elle pousse des hurlements de détresse. Se jette sur lui à plusieurs reprises, le saisit par les épaules et se met à le secouer violemment d'avant en arrière. Les femmes tentent de retenir la tante et de l'éloigner du corps du demi-frère mais elle résiste et se débat.

Je m'avance jusqu'au centre de la chambre.

La tante aperçoit une ombre qui s'étire sur les murs. Elle lève alors les yeux vers moi tandis que le demi-frère au visage recouvert de sang gît à mes pieds. À quelques mètres de lui, une arme à feu.

Il était comme mon fils, hurle la tante en plantant ses yeux dans les miens.

La tante est folle de douleur et de colère. Elle agite ses bras dans l'air avant de les abattre violemment le long de ses cuisses. Tous ces coups qu'elle s'inflige, ces touffes de cheveux qu'elle s'arrache. Et le reste qu'elle voudrait pouvoir continuer à s'arracher : les yeux, le cœur. Moi aussi j'ai perdu quelqu'un, je dis. Dans ma tête. Mais je le vois, je le devine à leur mine désespérée, à leur bouche qu'ils ne parviennent plus à fermer, à la détresse qui les fait tous vaciller. Je comprends qu'à leurs yeux, la Mère compte moins que lui. Et toujours ce sera ainsi. Ce déséquilibre des valeurs. Toujours ce sera les autres morts qui manqueront cruellement, qui mériteront les pleurs et le scandale, la belle sépulture faite sur mesure et le souvenir. Ce qu'il restera alors à la Mère et aux femmes de la maison, qu'il me restera aussi sûrement, je dirais l'indifférence et l'oubli que nous partagerons à parts égales.

Il y a mes pieds et à côté son visage et plus rien dans ce visage qui ne soit véritablement un œil, un nez, une joue, une bouche. Je fixe longuement ce qui reste du visage du demi-frère et ne peux m'empêcher de penser : la Mère, elle, est demeurée belle jusqu'à la fin. Et c'est déjà, sans le vouloir, ces morts, les mettre en concurrence. Les comparer, les juger et délibérer : celle-ci est ma morte, celui-ci est votre mort. Comme si en des territoires funestes il fallait encore tracer lignes et frontières. Établir des propriétés.

C'était ma Mère. Et lui, il était leur fils mais bien plus que ça. Il était l'innocent. Le seul. Et quand la tante se baisse pour ramasser un papier froissé à terre et que d'une voix forte, elle lit : "*Elle* a voulu me faire goûter à l'inceste et ce fut, pour moi, insupportable", je sais que maintenant le demi-frère est cette victime éternelle qu'ils chériront comme l'enfant perdu. Moi aussi j'ai perdu quelqu'un qui était un enfant. Même m'ayant donné la vie, la Mère était mon enfant. Et j'étais sa mère. C'est ça parfois l'amour. Ce trouble de l'ordre. De la hiérarchie. Et plus personne ne sait de qui il vient. Simplement nous savons de qui nous devons nous occuper.

Il y a mes pieds et à côté son visage. Je voudrais quitter cet univers teinté de sang sur lequel je porte un regard ahuri. L'effroi donne ce regard. L'effroi aussi cloue sur place. Glace le corps quand le sentiment de l'injustice qui envahit, lui, voudrait tout faire exploser. Je veux dire : c'est porter dans le ventre une bombe. Je brandis le poing vers le groupe rassemblé au centre de la chambre à coucher du demi-frère et m'écrie : non! d'une voix forte et sûre que je ne me connaissais pas. Ils ont ce mouvement de recul tandis que je continue d'avancer vers eux, le buste tendu vers l'avant, les mains tremblantes, le pas lourd, et dans les yeux cette brume épaisse des forêts denses qui fait le visage rouge et le cœur au bord de l'arrêt.

Il a menti. À propos de la Mère, déjà, il avait menti.

Je suis debout, face à eux, et lutte contre l'envie de m'évanouir car alors nous serions deux à gésir au sol, face contre terre, dans notre misère, dans notre laideur infinie, avec sur le visage cet air désespéré, pitoyable, la bouche tordue, le cou brisé par l'impact de la chute et cette rigidité qui s'emparerait de nous, peu à peu, nous rendrait si lourds, plus lourds que n'importe quel rocher, si durs aussi. Demi-frère et demi-sœur, ensemble. Peut-être nous regarderions-nous et moi. Moi je dirais : tu as menti.

Tu as menti et moi je suis née dans une maison aux portes closes, entourée de femmes vivant dans l'attente de sortir. Dans le giron, surtout, d'une Mère dévastée, chaque jour plus folle que la veille. Ce que tu as dû te dire puis lui dire pour que le Père l'abandonne, comme ça, comme rien, la putain syphilitique qu'elle était, tu l'as dit, tu l'as répété, laisse-la, aujourd'hui encore, laisse-la là-bas longtemps, jette-lui encore un peu de viande et après, après oublie-la, oublie-les et pense à nous, nous ta famille, nous ton sang, nous ton corps. Tu as menti, rongé par tous ces rêves qu'il t'arrivait de faire quand dans tes draps tu te voyais à demi avalé par le sexe de la Mère. Il y avait ton sexe dans ta main et tu pleurais. C'est peut-être à cet instant-là que tu t'es dit : je vais mentir. Ou alors était-ce un peu avant ou un peu après. C'était sûrement à chaque fois que tu croisais ton reflet dans le miroir et que tu te demandais mais aimer qui, aimer quoi dans cette gueule livide. Les coups que tu aurais voulu y foutre dans cette gueule, que les autres foutaient volontiers pour toi, les soirs où après avoir trop bu tu te mettais à hurler, en pleine rue, je baise vos sœurs et les filles de vos sœurs. Et toi tu t'écrasais contre le mur et tu tombais avec une telle force qu'on se disait il est mort. Tu es mort tant de fois, de tant de manières différentes, dans tant de rues, sous les poings serrés de tant de frères. Mais toujours tu te relevais, à l'aube souvent, dépouillé, les vêtements déchirés, les jambes et les bras engour-dis, le dos cassé, et cette gueule. Et tu te disais, les salauds. Les salauds, ils m'ont encore dérouillé. Tu tenais à peine debout, tu marchais péniblement, lon-geant la rue et passant devant les vitrines des bou-tiques, ta gueule, tu la revoyais comme par effet de transparence. Tu revoyais les yeux injectés de sang, l'arcade sourcilière ouverte, la mâchoire tordue. Tu étais ça, ce qu'il reste d'un homme après la bagarre. Une fois arrivé à la maison du Père, tous te voyaient prendre le chemin de ta chambre, débraillé, encore ivre de la veille mais tous se taisaient. Ça, ce silence face à ce que tu devenais, un être à part et dange-reux, c'était quoi, ils disaient c'est de l'amour, moi, je dis c'était être complice. Et des complices, dans cette famille, tu en avais tant. Parce que ça leur plai-sait cette image violente que tu donnais de toi, cette virilité que tu affirmais, le couteau dans la poche du pantalon. Les femmes de la famille, je crois, ça

les fascinait. Et c'est pour ça que tu as menti. Tu te
savais couvert par les tiens. Et tu n'as pas hésité à
dire. Tu as dit au Père : cette femme, ta femme, je
l'ai vue sortir de tant d'hôtels avec tant d'hommes.
Des hommes à qui elle souriait tandis que toi tu
la croyais en visite chez sa famille. Tu as peut-être
même dit, sur le ton feint de l'aveu : j'ai été l'un de
ces hommes. Tu as peut-être même demandé pardon au Père. C'est ainsi que tu as menti, agenouillé
face au Père, ta main dans la sienne, les yeux pleins
de larmes.

N'est-ce pas ?

Et si je cédais à cette envie de m'évanouir sous
le poids des sentiments mêlés, je me retrouverais,
en une fraction de seconde, allongée aux côtés du
frère, lui mort et moi voulant mourir. Et moi voulant lui dire : avec le temps, tu as fini par croire en
ton mensonge si bien que dans ton esprit, cette nuit
de l'adultère a bien existé. Tu es parvenu à faire de
ce mensonge une vérité. Et moi, moi je suis venue
jusqu'ici pour rencontrer mon Père mais c'est avec
toi, toi le menteur, que j'ai fait connaissance quand
dans cet escalier tu m'as vue et tu t'es dit : c'est ma
chance. Tu t'es imaginé dévoré par mon sexe aux
bords rasés. Tu tenais dans ta main la boucle de
ta ceinture et tu pleurais. Et tu parlais, te souvenant avec douleur que tu n'avais jamais échangé la
moindre caresse, le moindre baiser, que tu n'avais
jamais partagé le moindre sourire, la moindre nuit
avec la Mère. Mais ton père, lui, oui. La jalousie t'a
envahi et c'était, d'un coup, ne plus vouloir mentir.
C'était vouloir passer à l'acte. Parce que depuis l'enfance, c'est ce qu'ils t'ont dit : sois un homme. Et sur
ton visage a soufflé le vent chaud des grandes plaines,

quand le corps ne peut plus avancer. Juste fondre. Fondre sur place. C'est la sensation que je garde au fond de moi : moi sous toi et toi qui fonds sur moi.

Je sais qu'à ce moment-là, tu ne mentais pas. Tu as laissé la vérité de ta misère emplir ton pantalon. Gonfler entre tes jambes. Et te procurer ça, cette puissance, cette force, si longtemps recherchées, que tu avais cru ne jamais ressentir. L'homme que tu ne deviendrais pas. Ce serait ta vie, le célibat. Mais en moi, je ne sais où, peut-être sur les lèvres, dans la bouche, peut-être sur les seins, au creux de la main, l'espoir, tu l'as retrouvé. Avec elle, tu t'es dit. Avec elle, tout redevient possible. Aimer et être aimé. Et je jouirais d'elle et elle jouirait de moi. Et c'en serait fini des tavernes, la nuit. Et de la bière. Adieu les trottoirs, les toilettes publiques. Adieu les doigts collants. Adieu tout ce dégoût. Cette vie d'adolescent en manque. Bonjour la chair. La chaleur. L'intimité. Et bienvenue. Bienvenue chez toi. Ce que tu as cru que je te disais, que je te criais, que je voulais de toi. Partout. À n'importe quel moment. Pour tes beaux yeux. Tes grands yeux. Pour toi, rien que toi, et dans la vie rien ne compterait, rien que nous. Dans mon silence, tous les mots d'amour que tu croyais entendre.

Mais maintenant que loge dans ta tête une bille de plomb et que tout le sang qu'il est possible de perdre tu l'as déjà perdu, je voudrais poser mon oreille sur ta tempe et entendre ce que tu entends. Entendre ce que tu te dis. Et alors ensuite tu m'entendrais te dire : salaud, jusqu'au bout tu as menti. Et tu me laisses là, au centre d'une chambre poussiéreuse, aux volets rabattus, à quelques mètres d'un lit, ce lit où aucune femme ne t'a jamais suivi. Tu me laisses ainsi, au bord de l'évanouissement, luttant mais contre quoi, contre qui. Toi, tu es mort et moi, je suis là, debout mais assommée, vivante mais effrayée. Et quand je perçois le tapotement de la canne de bois sur le sol dur, je sais que c'est lui. Car il ne manque que lui.

Le Père apparaît. Il se tient debout, sur le seuil de la porte.

Je ne suis pas là pour toi. C'est ce que disent ses yeux. Je suis là pour mon fils. Le Père s'avance à pas lents et se fige à quelques centimètres du corps de son fils. Le Père écarte du bout de sa canne l'arme à feu puis s'agenouille. Il prend dans ses bras le corps de son fils. Le Père répète ça : il était mon seul enfant. À cet instant, dans cette forêt sauvage, je suis tout entière offerte aux bêtes de la nuit. Les larmes qui devraient venir pourtant ne viennent pas.

Je lui dis qu'avec la Mère, on était dedans. Pas seulement dans la maison, dans la grande pièce commune, pas seulement dans la cuisine. J'insiste. Je dis : on était dans la pierre. Quand on quittait ce malheur, souvent c'était pour être dans le bois. D'autres fois, dans le tissu. Il arrivait aussi que l'on soit dans le métal. La folie était dans cette tendance à nous vouloir ailleurs que dans notre corps.

Chasse-la, lance la tante.

Les yeux du Père se lèvent vers moi et me fixent longuement. Il y a toutes ces voix qui s'élèvent. Ces sanglots qui les encombrent. Le silence, aussi, qui vient, d'un coup, y mettre un terme. N'attends de lui aucune aide, je me dis, aucun secours car, à l'origine, notre Père obscur, toujours, laissera faire. Alors défends-toi !

Il était fou, je rétorque. Il était malade, ton fils.

Oui, il était fou, il était malade, comme nous le sommes tous, reprend la tante. Mais toi, je souhaite que Dieu ne t'accorde jamais la paix de l'âme.

Un frisson me parcourt et tout aussi fort, tout aussi violent, ce besoin de leur dire mais de lui dire à lui, surtout, ce qu'il n'a jamais voulu entendre, que personne n'a peut-être jamais osé lui avouer, par peur de l'effet qu'aurait sur son cœur fragile la vérité. À cet instant précis, les mots qu'il faudrait trouver, les mots justes, les mots précis, qui expriment la trahison du fils, de son propre fils, et la vie qui s'en est suivie. Une vie pleine de désespoir. C'était la vie sans nous, la Mère et moi. C'étaient des matins tristes et combien de nuits misérables, éternelles, quand le Père se demandait, avec douleur et anxiété, mais pourquoi moi, pourquoi elle et tous ces hommes, pourquoi elle avec mon fils dans ce lit. Et si peu de réponses satisfaisantes. Simplement, effroyablement vaste, la blessure de l'homme trompé par sa femme et cette femme que le Père tantôt maudissait puis que le Père a fini par pleurer.

Et ceux qu'il disait être les siens savaient mais ils n'ont rien dit.

Ils étaient le groupe. Infâme smala qui se nourrit de la tristesse de ses membres pour, vous savez, tenir bon. Parce qu'il a fallu en faire des efforts et des efforts pour parvenir à le garder, ce secret, et malgré la culpabilité apparue avec les années, ne pas céder à la pression. Et demeurer cette famille soudée qui a sacrifié l'un des siens. Toute la vie, autour de ce sacrifice, ils auraient souhaité que ce soit le silence.

Mais je ne veux pas, je ne peux pas. Je crois qu'il est important. Je pense que je dois. Alors, je m'avance vers le Père et je dis. J'ai dit : elle est morte. Ta femme est morte. Et pas comme les gens, un jour, cessent de respirer, et meurent. Non, ta femme est morte. Comment te dire ? Ta femme est morte comme tuée par le temps. Ta femme t'a si longtemps attendu. Je me souviens, elle t'attendait partout. Ta femme t'a attendu dans la cour intérieure et dans la grande salle commune. Elle t'a attendu adossée au mur du long couloir, assise sur une marche d'escalier. Quand ta femme lavait le sol, quand elle étendait le linge, quand elle reprisait ses bas, ta femme t'attendait encore. Pendant tout le temps de ma vie, je n'ai jamais vu ta femme ailleurs que dans l'attente de ton retour. Elle t'a attendu en se demandant ce qui te retardait ainsi, en se demandant si pour toi aussi l'attente était longue, en voulant te demander quand est-ce que tu pensais venir.

Vers la fin, c'est si étrange. Vers la fin, je veux dire, les jours, les semaines, les mois, tout ça, tout ce temps, pour ta femme, ça a comme cessé de compter. Elle a vécu au rythme des fièvres et chaque fièvre a apporté son lot de folie. Chaque fièvre a rendu ta femme plus mince et plus fragile qu'elle ne l'avait jamais été. La dernière fièvre, c'était l'achèvement.

Le Père se redresse et répète : ma femme ? Ma femme est morte ?

À cet instant, il y a dans les yeux du Père ce que déjà j'avais perçu dans les yeux de la Mère, qui est ce refus de croire ce que je dis quand je dis : c'est fini maintenant, c'est fini.

Et moi qui suis là, à bout de souffle, qui ne sais plus que murmurer c'est fini maintenant, c'est fini, la voix chevrotante, je sais qu'il faudrait que je trouve la force de poursuivre. Le courage de le dire et le redire sans le regretter aussitôt. Dire : et moi, je suis ta fille.

Ce qu'on ne saura peut-être jamais. Si quand ma bouche s'est ouverte et que sont sortis d'elle ces quelques mots, je suis ta fille, oui, on ne saura jamais

maris surtout. Je voudrais qu'elle ne s'arrête pas de
parler, que je puisse comprendre quel crime nous
avons commis pour être punies de la sorte, isolées
des autres, volées à nous-mêmes, mais *quelque chose*
empêche toujours la Mère de poursuivre.

Face à elle, je suis face à mille mystères.

Tous ces talismans qu'elle cache sous son oreiller,
tous ces couteaux, toutes ces lames, toutes ces robes
noires, son sac à main marron que le Père, selon les
femmes, l'aurait autorisée à garder à son arrivée ici
– sa vie, en somme, rassemblée –, il m'arrive souvent
de les repousser de la main pour me faire une place à
ses côtés, sur le matelas. Et une main posée sur son
épaule, à voix basse, je demande : tu ne veux pas me
raconter ? La Mère se retourne alors vers moi et, les
yeux emplis de larmes, me rétorque : c'est à toi de
me parler. À toi de ne pas laisser le sommeil m'em-
porter, je ne veux pas dormir, pas ici, pas sans lui.

si le Père les a entendus. Et personne ne pourra jamais affirmer si c'est pour ces mots qu'il s'avance vers moi, doucement, sa canne à la main, ses yeux dans mes yeux. Si c'est parce que je suis sa fille qu'il m'entoure de ses bras, se laisse aller contre moi de tout son poids, sa tête au creux de mon épaule, et ses mains dans mon dos qui serrent le tissu de la belle robe blanche. Je ne saurai jamais avec certitude pour qui mon Père est venu mais mon Père est venu vers moi avec cet élan sincère, cette simplicité. Il est venu d'un pas si lent, d'un pas si faible et maintenant je suis dans ses bras et je pleure. Nous pleurons tous les deux sans véritablement savoir à qui pense l'autre. Je glisse à l'oreille du Père : maintenant, il faut penser à nous.

XV

Pars de ton pays, de ta famille et de la maison de ton père vers le pays que je te ferai voir. Je ferai de toi une grande nation, et je te bénirai.

Genèse, XII, 1.

*(Carnet intime de la Mère découvert dans le sac de
plastique noir :)*

"Il faudrait s'insurger. Hurler à l'injustice, à la traî-
trise, au complot. Oui, il faudrait me débattre,
mordre, planter mes ongles dans leur visage. Et leur
rendre tous ces coups qu'ils m'ont donnés à mon arrivée ici, m'inventant alors tous les défauts du monde,
m'accablant de tous les maux. Il me faudrait ensuite
ouvrir grand la fenêtre de ma chambre, affronter ma
peur du vide, sauter et m'enfuir loin d'ici. Courir me
réfugier chez ma mère et mon père. Leur raconter
les cris, les insultes, les mensonges. Et leur demander
d'aller, en pleine nuit, armés de couteaux, me venger.

Pourtant, retranchée ici, au second étage, dans
cette pièce obscure de la maison familiale, je ne sens
plus ni la force de me plaindre, ni la force d'agir.

Car maintenant, je sais.

Je revois encore le fils de mon époux, au lendemain de ma nuit de noces, s'avancer vers moi dans
le salon, et les mains plongées dans les poches de
son pantalon, une cigarette coincée entre les lèvres,
me glisser subrepticement à l'oreille : tu ne resteras
pas longtemps parmi nous.

Un jour, alors qu'il était ivre et ses mains particulièrement baladeuses, j'ai été forcée de l'éconduire. Ses amis qui l'observaient de loin, regroupés sur les terrasses des cafés avoisinants, n'ont pu s'empêcher de le railler publiquement. Il n'a pas supporté cette humiliation et à l'instant même où, dans la salle des fêtes, je l'ai vu déposer sur la grande table un bouquet de fleurs, j'ai su qu'il chercherait à se venger de moi. Jamais, pourtant, je n'aurais imaginé que ce serait avec une telle cruauté.

Jour après jour, j'ai remarqué l'étrange attitude que ma belle-famille s'est mise à avoir à mon égard. La sœur de mon époux notamment, avec qui je pensais nouer une certaine amitié, a commencé à se montrer distante. Elle me laissait souvent seule dans la cuisine, ne me demandait plus de l'accompagner au marché puis est arrivé un matin où elle m'a frôlée dans le couloir sans m'adresser la parole. Quant aux autres, leur comportement à mon égard était similaire. Il me suffisait d'entrer dans une pièce pour qu'ils la quittent.

J'ai peu à peu été mise à l'écart et le soir, je m'évertuais à décrire à mon mari ce que je vivais en son absence, mais il me croyait à peine, convaincu que tout n'était que le fruit de mon imagination. Pourtant, quelque temps après, je commençai à déceler dans sa propre attitude des signes d'éloignement, d'indifférence. Il se montrait moins curieux. Le soir, il s'endormait très rapidement sans même prendre le temps de m'embrasser. Le matin, il partait en toute hâte, comme s'il me fuyait.

Un après-midi, il est rentré du travail et s'est hâté de venir me trouver dans ma chambre, l'air grave. S'asseyant près de moi, il a pris mes mains entre les siennes et m'a demandé s'il était vrai que j'avais séduit son fils. Je me suis alors agenouillée face à lui, lui jurant que rien de tout cela n'était vrai, que son fils tentait, par jalousie à son égard, de détruire notre couple et de me punir de l'avoir, naguère, repoussé mais mon époux ne voulut rien entendre.

Il disait que des collègues à lui avaient eu vent de cette histoire. Il disait que la rumeur s'était propagée à toute la ville et que, désormais, sa sœur, son fils, ses cousins, ses cousines, ses tantes, ses oncles, attendaient qu'il agisse pour laver l'honneur de la famille. Puis, il m'a avoué qu'il comptait, sur leurs conseils, me conduire dans les jours qui viendraient à la maison des femmes.

Depuis, je suis ici, dans cette chambre et j'attends patiemment.

Car maintenant je sais.

Posant sa main sur mon ventre, une nuit où j'avais frappé à la porte de sa chambre tant je me sentais nauséeuse, la servante, dont le visage me rappelle étrangement celui de ma mère, m'a souri, émue, puis m'a serrée dans ses bras. À vue d'œil, elle a estimé que j'étais enceinte de trois mois. De quatre, tout au plus. J'éprouve depuis une profonde excitation à l'idée de penser que dans ce corps si frêle, que certains et certaines ont cru stérile, je ne suis désormais plus seule. Et je voudrais partager ce bonheur avec mon époux. Le voir soulever délicatement ma robe et découvrir mon ventre arrondi. Mais cela fait déjà plusieurs jours qu'il ne vient plus me voir et, pour tout dire, je ne cherche plus, en vérité, à le retenir près de moi. L'enfant que je porte est mon véritable amour.

De lui vient peut-être cette absence de peur à l'égard de ce qui m'attend.

Cette maison, j'en ai souvent entendu parler, dans l'enfance, quand les mères et les pères menaçaient les petites filles turbulentes de les y emmener et de les y enfermer si longtemps qu'on finirait par les oublier. Nuit après nuit, je rêvais de cette bâtisse aux portes fermées à clé, aux fenêtres barricadées. Dans certaines pièces, il n'y a d'ailleurs pas de fenêtre, disaient-ils. Je fermais alors les yeux et j'entendais des bruits terrifiants. Des bruits de pas. De chaînes en métal. Des murmures. Des cris. Puis, s'installait ce silence duquel j'étais prisonnière. Les doigts cramponnés au rebord de nos couvertures, j'attendais le retour de l'aube. Sa lumière où me réfugier.

C'était vivre sans savoir ce qui était réel. Et ce qui ne l'était pas.

Puis les années, peu à peu, ont passé. Ont révélé leur vérité. La maison existe. Et les frères. Et les pères. Et les oncles. Et les cousins. Et les maris, aussi. Accompagnés des sœurs. Des mères. Des tantes. Des cousines. Je suis l'épouse mais bien plus que cela, je suis cette femme, la femme qui, croyant trouver une place dans une famille s'est vue assigner une place dans le groupe. Or cette place n'est pas la mienne. Je me sens tout entière, à travers mes goûts, mes sentiments, mes désirs, portée vers le dehors. Je veux dire : je suis faite pour vivre en *dehors* d'eux."

Ces mots-là, les mots du carnet intime de la Mère, les mots des débuts, les mots de la jeunesse, ont été une consolation dans ce train qui me conduisait loin de la maison du Père. Ce qui m'a aidée, ces larmes, à les retenir dès l'instant où me revenait en mémoire – violemment toujours – l'image du corps du demi-frère étendu à terre, les yeux clos, la bouche ouverte, et ce sang, tout ce sang. Durant des kilomètres et des kilomètres, je suis demeurée le regard fixe et baissé, osant à peine me raccrocher au paysage qui défilait à toute vitesse, continuant de visualiser cette scène d'affliction à travers laquelle le Père tenait entre ses bras le corps du demi-frère. Et c'était ne pas comprendre. Ou ne pas vouloir comprendre comment nous en étions tous arrivés là.

Et de ville en ville, le carnet intime de la Mère tenu serré contre ma poitrine, le corps tremblant, je me répétais ça, je me répétais : jamais le Père n'aurait pu te protéger. Te sauver. Jamais il n'aurait pu être ce que tu espérais qu'il fût, ce gardien, ce défenseur, ce héros. Jamais il n'aurait pu te gratifier de l'attention, de l'écoute, de l'amour, après lesquels toute ta vie tu as couru. Jamais tu n'aurais pu trouver dans ses gestes, dans ses regards, la tendresse infinie, la seule et unique consolation. Ni hier, ni aujourd'hui, ni demain, non, jamais, tu n'aurais pu demander et attendre de recevoir sans être déçue de demeurer ainsi, longtemps, face à lui, les mains vides et le cœur asséché. Ou même imaginer, sur son épaule, t'appuyer, car jamais il n'aurait pu t'apporter ce soutien inconditionnel que déjà tu avais recherché en la Mère, en vain, et que tu as cru pouvoir trouver en lui, en vain, de nouveau. Comme jamais, encore, il n'aurait pu te guider, t'aider à grandir, t'apprendre à t'aimer.

Lui.

Lui que l'on a si peu aimé. Lui qui ne s'aime pas. Qui a préféré appartenir. À une famille, à un clan, à une tribu. Défendre le nom que toi, depuis toujours, tu refuses de porter. Le nom que tu tais. L'héritage que l'on rend avant de partir. Avant de rompre. De renaître. Et jamais, non plus, il n'aurait pu t'accompagner où tu aurais désiré te rendre, ni même demeurer et vivre, chez toi, comme s'il pouvait exister sur cette terre, un lieu *épargné*. D'autres murs, d'autres fenêtres, d'autres portes, sans verrou. Une autre maison dans laquelle tu te serais sentie à ta place. Ce que tu as pensé qu'il finirait par te dire, en voyant son monde s'écrouler à ses pieds, les siens sombrer dans la folie, et tes yeux s'emplir de larmes, viens, viens ma fille on rentre chez nous. Mais la bouche du Père est restée close et toute la vie, qui vient de si haut, qui vient du ciel, ce sera ce silence.

Durant longtemps, très longtemps, des jours et des nuits, ils revivront cette scène sans pouvoir rien y changer. Une scène qui fera naître en eux, tantôt un sentiment de jalousie, tantôt un sentiment de colère. Mais au fond d'eux, ce qui fera toujours battre leur cœur à l'unisson, ce sera cette jalousie. Ils en parleront durant des heures, prenant tous la parole en même temps, prêts à en venir aux mains dès lors que cette scène, la scène du grand pardon, resurgira dans leurs esprits malades. Ils lutteront contre le souvenir mais malgré eux, ils se souviendront. D'un Père et de sa fille séparés par la pierre et qu'un jour on a réunis. Ils refuseront d'y croire et quand ils croiront, ils détesteront voir. Alors le sang, à nouveau, coulera et coulera. Ce sera dans ces torrents-là, les torrents de la haine, qu'ils trouveront une satisfaction. Mais la nuit, il leur suffira de fermer leurs yeux pour voir apparaître ce qu'ils auront, par tous les moyens, refoulé. Ils seront spectateurs de cette scène où la vie reprend ses droits et remplace la mort. Le Père et sa fille pleins de cet amour qui durant le temps singulier de la vie avait manqué. Et ils se réveilleront marqués par cette scène, la scène des retrouvailles, et ils maudiront la nuit et ils maudiront leurs yeux. Puis ce Père et sa fille, ils voudront

les retrouver. Ils parcourront alors la terre entière, tra-
versant les déserts et s'attardant dans les forêts fraîches.
Fouillant chaque ruine, et toquant à la porte de chaque
maison. Mais le Père et sa fille ne seront nulle part.
Pourtant, ils seront connus des habitants de toutes les
villes de tous les pays. Et ce sera à chaque fois la même
histoire que ces habitants raconteront. L'histoire d'un
Père et de sa fille qui furent les acteurs de cette scène,
la scène de la joie, où l'on dit à ceux qui ont souffert
que plus jamais ils ne souffriront. Et quand ils enten-
dront cette histoire pour la millième fois, ils ne vou-
dront plus en entendre parler et ils se diront, comme ils
diront plus tard à la face du monde, que ce Père et sa
fille n'ont jamais existé. Ils iront jusqu'à affirmer que
ne peut prendre corps, ici-bas, que la guerre. N'ont de
réalité que les soldats qui combattent et les femmes qui
se sacrifient. Tout le reste, ils diront, n'est que mythe et
légende. Mais ceux qui auront connu le Père et sa fille,
dans leur cœur, sauront la beauté. La force. La gran-
deur de cette scène d'amour.

OUVRAGE RÉALISÉ
PAR L'ATELIER GRAPHIQUE ACTES SUD
REPRODUIT ET ACHEVÉ D'IMPRIMER
EN MAI 2014
PAR NORMANDIE ROTO IMPRESSION S.A.S.
À LONRAI
POUR LE COMPTE DES ÉDITIONS
ACTES SUD
LE MÉJAN
PLACE NINA-BERBEROVA
13200 ARLES

DÉPÔT LÉGAL
1re ÉDITION : AOÛT 2014

N° impr. : 1402041

(Imprimé en France)